LA MÉTÉO EN PHOTOS

Raymond GERVAIS et Richard LEDUC

1986
Presses de l'Université du Québec
Case postale 250, Sillery, Québec G1T 2R1

À
Ghyslaine
et
Micheline

Nous remercions le Service de l'environnement atmosphérique, Environnement Canada, et la Direction de la météorologie, Environnement Québec, pour leur excellente collaboration lors de la préparation de cet ouvrage.

Nous remercions les personnes et organismes suivants : R. Ménard (figure 1.4); P. Elms (figure 1.8); Météorologie nationale, France (figure 2.1); le Service de l'environnement atmosphérique (figure 2.15, 2.19, 2.20); Cray Research Corporation (figure 2.17); J. Litynski et les Éditions Gamma (figure 3.18); R. Hodgson (figure 4.9); J.S. Bauder (figure 4.11); NOAA (figure 4.13).

Nous remercions aussi sincèrement Réal Bonenfant et Guy Lemelin pour leurs précieux conseils d'ordre technique sur les instruments.

ISBN 2-7605-0394-1

Dépôt légal — 2e trimestre 1986
Bibliothèque nationale du Québec
Bibliothèque nationale du Canada
Imprimé au Canada

Table des matières

Introduction

La pluie et le beau temps. Voilà un sujet de conversation universel, anodin peut-être pour plusieurs, vital ou essentiel pour d'autres. En de nombreuses occasions, la météo fait la manchette des médias d'information. Tantôt on y présente les désastres reliés à la terrible sécheresse qui afflige l'Afrique; tantôt ce sont les tornades, les ouragans ou les tempêtes de neige ou de verglas qui font la vedette. Plus personne n'est indifférent aux sautes d'humeur du temps et aux caprices du climat. L'agriculture, les transports aérien ou maritime, la foresterie, les pêches, la construction sont autant de domaines où la météo a une influence.

L'information météorologique véhiculée par les médias est essentielle à une multitude d'activités, en plus de piquer la curiosité et d'aviver l'intérêt du public envers les phénomènes météorologiques. Cependant, malgré cette omniprésence de l'information météorologique, la plupart des gens n'ont qu'une vague idée de cette science et des notions qui s'y rattachent. Il est vrai que la météorologie est une science rigoureuse qui, pour être bien assimilée, requiert la connaissance de plusieurs notions de physique. La vulgarisation de la météorologie, comme les autres sciences d'ailleurs, est donc difficile mais de nombreux phénomènes météorologiques peuvent être saisis par tout le monde. La plupart des gens ignorent aussi quels sont les outils utilisés en météorologie et comment fonctionne l'infrastructure nécessaire afin d'élaborer les prévisions et d'étudier le climat.

La météo en photos a comme objectif de présenter au lecteur, sous la forme d'un petit guide pratique, différents éléments d'information lui permettant de se familiariser davantage avec la météorologie. Cet ouvrage est une vulgarisation de la météorologie et de la climatologie. Le lecteur désireux d'approfondir ses connaissances des phénomènes atmosphériques trouvera dans la bibliographie des ouvrages de base en science de l'atmosphère.

La météo en photos regroupe dans cinq chapitres les principaux sujets d'intérêt qui donneront au lecteur une vue d'ensemble de la météorologie et de la climatologie. Les photos sont accompagnées d'un court texte explicatif présentant des éléments historiques ainsi que des informations sur le fonctionnement des appareils et l'utilisation des données recueillies, et une explication des divers phénomènes météorologiques courants.

Il est essentiel, pour quiconque s'intéresse à la météorologie, de pouvoir reconnaître les formations nuageuses puisqu'elles sont la manifestation concrète des phénomènes qui ont lieu dans l'atmosphère. Les nuages sont donc présentés au premier chapitre. Les photos de ce chapitre peuvent servir de guide pour l'identification des nuages. Au deuxième et au troisième chapitre, on présente les instruments météorologiques et climatologiques, puis viennent des phénomènes météorologiques particuliers que l'on peut facilement observer. Finalement, le dernier chapitre comprend diverses photos additionnelles pour compléter ce tour d'horizon sur la météorologie.

Nous espérons que **La météo en photos** répondra à quelques-unes des interrogations du lecteur à l'égard de la météorologie et lui donnera le goût d'en savoir plus long sur cette science passionnante.

Chapitre 1

Les nuages

La classification des nuages se base sur celle proposée par Luke Howard en 1803 et améliorée par H. Hildebrandssons et R. Abercromby en 1887.

Une bonne connaissance des nuages aide à mieux comprendre les phénomènes atmosphériques.

La classification internationale des nuages

L'appellation des nuages repose sur deux principes simples: l'altitude de leur base et leur aspect ou leur forme. On partage d'abord les nuages en quatre groupes. Les trois premiers groupes se définissent selon un concept d'étage où on divise l'atmosphère en tranches identifiées d'après la hauteur moyenne de la base des nuages. Le quatrième groupe tient compte de la forte extension verticale de certains nuages qui peuvent se retrouver sur plus d'un étage à la fois.

On reconnaît trois formes de nuages: la forme stratus, c'est-à-dire une forme de nappe ou de couche; la forme cumulus, c'est-à-dire une forme arrondie, nette et qui ressemble à des choux-fleurs ou à des amas de ouate; finalement la forme cirrus, celle qui ressemble à des cheveux.

Groupe	Genre	Altitude moyenne de la base (m)
Étage supérieur	Cirrus, cirrostratus, cirrocumulus	6 000 et plus
Étage moyen	Altostratus, altocumulus	2 000 — 6 000
Étage inférieur	Stratus, stratocumulus	Du sol à 2 000
À développement vertical	Cumulus, cumulonimbus, nimbostratus	Plus de 500

Nuages de l'étage supérieur

1.1 - 1.2 CIRRUS

Nuages détachés sous forme de délicats filaments blancs composés de bancs ou d'étroites bandes blanches ou en majeure partie blanches. Ces nuages ont un aspect fibreux (chevelu), un éclat soyeux ou les deux.
Ils sont habituellement associés à du beau temps.

Nuages de l'étage supérieur

1.3 - 1.4 CIRROSTRATUS

Voile nuageux transparent et blanchâtre, d'aspect fibreux (chevelu) ou lisse, couvrant le ciel en totalité ou en partie et pouvant donner lieu à des phénomènes de halo.
On distingue plusieurs types de halo qui sont formés soit par la réfraction soit par la réflexion de la lumière sur les cristaux de glace; parmi eux se retrouvent le halo circonscrit, les parhélies et les anthélies, l'arc de Lowitz, l'arc inférieur de Parry, l'arc circumzénithal, etc. Le plus connu est le petit halo qui prend la forme d'un cercle lumineux entourant le Soleil. Le petit halo a un rayon angulaire de 22 °, une largeur de 1,5 ° et il est coloré de rouge vers l'intérieur et de bleu vers l'extérieur (voir aussi la figure 4.2).
Le cirrostratus est souvent associé à un front chaud et peut laisser présager l'approche de mauvais temps.

1.2
1.1
1.4
1.3

Nuages de l'étage supérieur

1.5 - 1.6 CIRROCUMULUS

Banc, nappe ou couche mince de nuages blancs sans ombre propre composés de très petits éléments en forme de granules, de rides, etc., soudés ou non et disposés plus ou moins régulièrement; la plupart des éléments ont une largeur apparente de moins d'un doigt tenu à longueur de bras.

On peut retrouver le cirrocumulus à l'avant ou à l'arrière des dépressions.

Nuages de l'étage moyen

1.7 - 1.8 ALTOSTRATUS

Nappe ou couche nuageuse grisâtre ou bleuâtre, d'aspect strié, fibreux ou uniforme couvrant entièrement ou partiellement le ciel et présentant des parties suffisamment minces pour laisser voir le soleil, au moins vaguement, comme au travers d'un verre dépoli. L'altostratus ne présente pas de phénomène de halo car il est composé en partie de gouttelettes d'eau surfondue.
On retrouve l'altostratus à l'avant d'un front chaud et il est habituellement présage de mauvais temps.

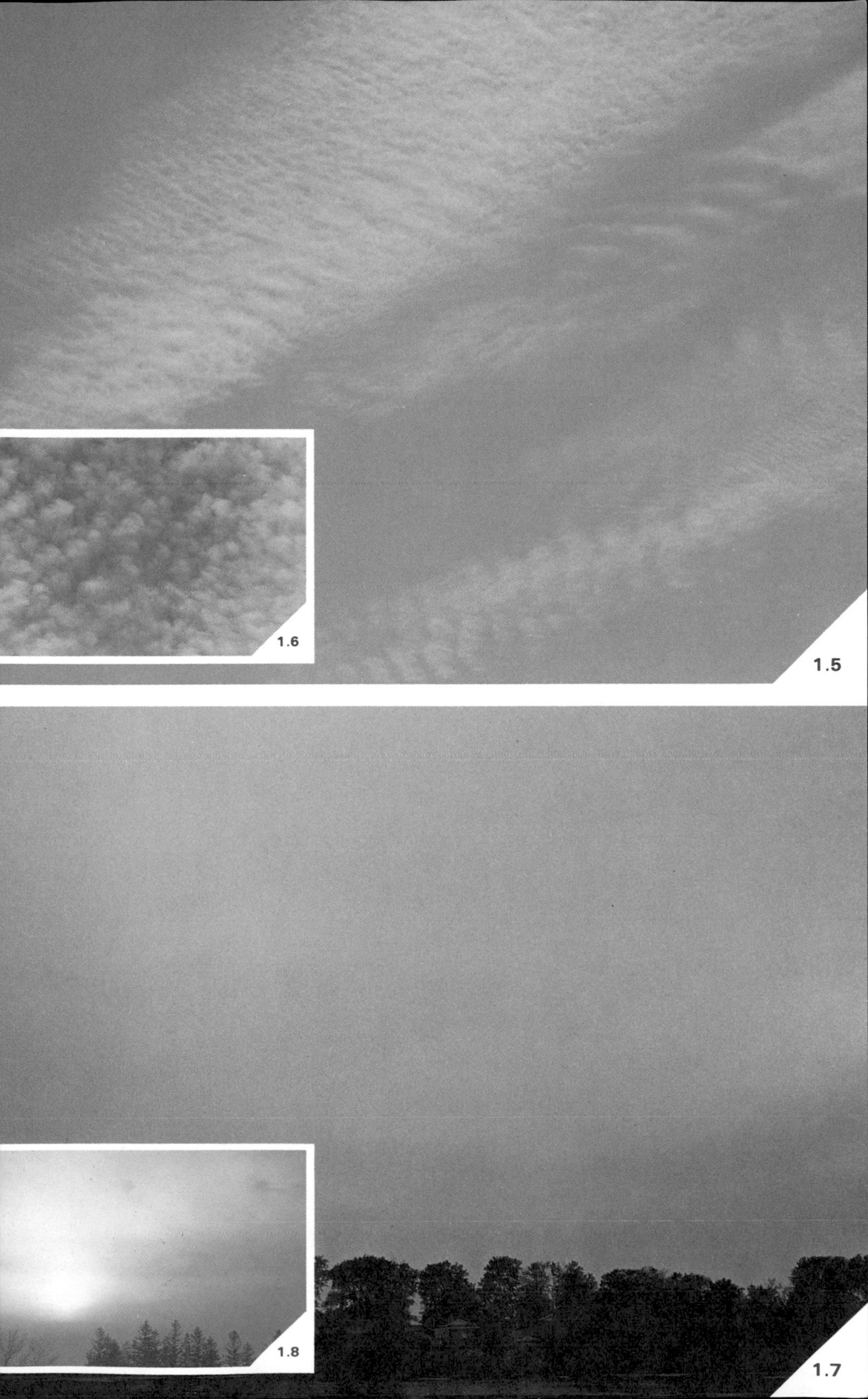

1.6
1.5
1.8
1.7

Nuages de l'étage moyen

1.9 - 1.10 ALTOCUMULUS

Banc, nappe ou couche de nuages blancs et gris ayant généralement des ombres propres et composés de lamelles, de galets, de rouleaux, etc., d'aspect parfois partiellement fibreux ou flou, soudés ou non. La plupart des petits éléments ont une largeur apparente comprise entre un et trois doigts tenus à longueur de bras.
On peut le retrouver à l'avant d'un front chaud ou d'un front froid.

Nuages de l'étage inférieur

1.11 - 1.12 STRATUS

Couche nuageuse, généralement grise, à base assez uniforme pouvant donner lieu à de la bruine, des cristaux de glace ou de la neige en grains. Lorsque le soleil est visible à travers ces nuages, on distingue facilement son contour. Il se présente parfois en bandes déchiquetées.

La figure 1.11 montre du stratus formé par le soulèvement d'un banc de brouillard. La figure 1.12 montre du stratus formé par l'ascension forcée de l'air sur le flanc d'une montagne.
Le stratus est habituellement associé à du mauvais temps.

1.10
1.9
1.12
1.11

Nuages de l'étage inférieur

1.13 - 1.14 STRATOCUMULUS

Banc, nappe ou couche de nuages gris ou blanchâtres, ou les deux à la fois, ayant presque toujours des parties foncées, formées de dalles, de galets, de rouleaux, etc., d'aspect non fibreux, soudés ou non. La plupart des petits éléments de forme régulière ont une largeur apparente de plus de trois doigts tenus à longueur de bras.
On retrouve souvent le stratocumulus à l'arrière d'un front froid.

Nuages à développement vertical

1.15 - 1.16 CUMULUS

Nuages détachés, normalement denses et aux contours bien délimités, se développant verticalement sous forme de mamelons, de dômes ou de tours, dont la partie supérieure bourgeonnante a souvent l'aspect d'un chou-fleur. Les parties du nuage éclairées par le soleil sont d'un blanc éclatant; la base est relativement foncée et horizontale.
Les cumulus sont habituellement associées à du beau temps.

1.14
1.13
1.16
1.15

Nuages à développement vertical

1.17 - 1.18 - 1.19 CUMULONIMBUS

Nuage dense à extension verticale considérable en forme de montagne ou de tour immense. Sa partie supérieure est presque toujours aplatie; celle-ci prend la forme d'une enclume ou d'un panache. Sous sa base, souvent très foncée, on retrouve fréquemment des nuages bas déchiquetés, soudés ou non avec elle.

Le cumulonimbus s'accompagne de précipitations (pluie ou grêle), d'éclairs et de tonnerre: c'est le nuage d'orage. On le retrouve souvent à l'avant d'un front froid. Il se forme aussi par endroits dans une masse d'air chaud et humide.

Les mécanismes provoquant l'électrification du cumulonimbus ne sont pas très bien connus. Une des théories veut que les charges électriques soient générées et séparées lors de la croissance et de la chute de la précipitation.

Le tonnerre est inoffensif, c'est l'éclair qui peut tuer.

1.18
1.17
ARRET
STOP
1.19

1.20

Nuages à développement vertical

1.20 NIMBOSTRATUS

Couche nuageuse grise, souvent foncée, dont l'aspect est rendu flou par des chutes de pluie ou de neige plus ou moins continues qui, dans la plupart des cas, atteignent le sol. Il masque complètement le soleil sur toute son étendue. Sous sa base on retrouve fréquemment des nuages bas, déchiquetés, soudés ou non avec elle.
Le nimbostratus s'accompagne habituellement de précipitations : c'est un nuage de mauvais temps. On le retrouve juste à l'avant d'un front chaud.

Chapitre 2

Les instruments météorologiques

La météorologie est une science physique qui s'intéresse aux phénomènes atmosphériques et sa principale préoccupation est la prévision météorologique. À cette fin, il est nécessaire de mesurer tout d'abord l'état de l'atmosphère à l'aide des instruments météorologiques pour connaître l'évolution, à un endroit donné, des différents paramètres météorologiques. Il est aussi indispensable de connaître l'état de l'atmosphère à plusieurs endroits à un même moment. Cela est la fonction essentielle du réseau synoptique qui permet de sonder l'atmosphère sur une grande étendue à la surface de la Terre. Une fois les données recueillies, elles sont acheminées au météorologiste. Celui-ci les analyse et, guidé par une prévision numérique, il fait la prévision du temps. Les observations météorologiques sont utilisées au fur et à mesure qu'elles sont faites; elles sont aussi archivées pour des études en climatologie.

2.1 LA TERRE VUE DE L'ESPACE

La Terre, vue du satellite géostationnaire METEOSAT, à quelque 36 000 km d'altitude.

Le satellite est un instrument de choix pour l'étude de l'atmosphère. Le jour comme la nuit, il transmet aux stations terrestres, à intervalle régulier, des photographies prises dans différentes longueurs d'onde: visible, infrarouge, proche infrarouge, micro-onde. La première photo transmise par un satellite météorologique date du 1er avril 1960.

Les photographies obtenues par satellite donnent la position et la configuration des systèmes météorologiques qui déterminent le temps. Le satellite est aussi mis à contribution dans des recherches sur le climat.

2.2 PARC MÉTÉOROLOGIQUE

Au sol, les données météorologiques, pour fins d'analyse et de prévisions, sont recueillies à des stations synoptiques habituellement situées à des aéroports. On en compte environ 230 au Canada, dont une trentaine au Québec. Chaque heure, des observateurs spécialement formés à cette fin y font des observations de nature très variée. Ces données sont codées et acheminées par un vaste réseau de télécommunication aux différents centres chargés de la veille météorologique et de la prévision du temps. Ces données servent grandement dans le cadre des opérations aériennes.

L'installation d'une station synoptique et de ses instruments répond à des normes internationales précises dont le but est de garantir l'uniformité des mesures. La normalisation des procédures d'observation est relativement récente (19e et 20e siècles), mais déjà en 1723 J. Jurin proposait des techniques d'observation et de consignation des résultats qui ont servi de base aux façons de faire actuelles.
La figure 2.2 montre le parc météorologique de la station de Mirabel, Québec.

2.1

2.2

2.3 PANNEAU D'INSTRUMENTATION DE LA STATION DE MIRABEL

Plusieurs des mesures effectuées à une station météorologique du réseau synoptique sont faites à distance. Elles sont affichées sur un panneau constitué de différents modules. D'un seul coup d'œil, l'observateur peut faire la mesure du vent, de la température, du taux de précipitation, du rayonnement, etc. À Mirabel, le bureau d'observation est situé dans la tour de contrôle du trafic aérien.

2.4 THERMOMÈTRE ÉLECTRIQUE ET SONDE HYGROMÉTRIQUE

La lecture à distance de la température de l'air et de la température du point de rosée se fait à l'aide de deux sondes électriques logées dans un abri thermométrique identique à celui utilisé dans les stations climatologiques (voir figure 3.1).

La résistance de la sonde thermométrique (près de l'orifice du tuyau de ventilation) est fonction de la température : il s'agit tout simplement de lire cette résistance et de la convertir en degrés Celsius (°C). De même, la résistance de la sonde hygrométrique varie en fonction de la température du point de rosée de l'air ; on obtient donc directement la valeur de la température du point de rosée.

Une autre façon de déterminer la température du point de rosée est d'utiliser un psychromètre ordinaire (figure 3.2). La température lue sur le thermomètre muni de la mousseline est appelée température du thermomètre mouillé ; l'autre est appelée température du thermomètre sec (ou température de l'air). Par suite de l'évaporation de l'eau de la mousseline (entourant le réservoir), la température du thermomètre mouillé est inférieure à celle du thermomètre sec et plus l'air est sec plus cette différence est grande. Ainsi la différence entre ces deux températures constitue une mesure de l'humidité. Lorsque l'air est saturé d'humidité, la différence est nulle. À l'aide d'une table psychrométrique on obtient ensuite l'humidité relative et la température du point de rosée.

2.3

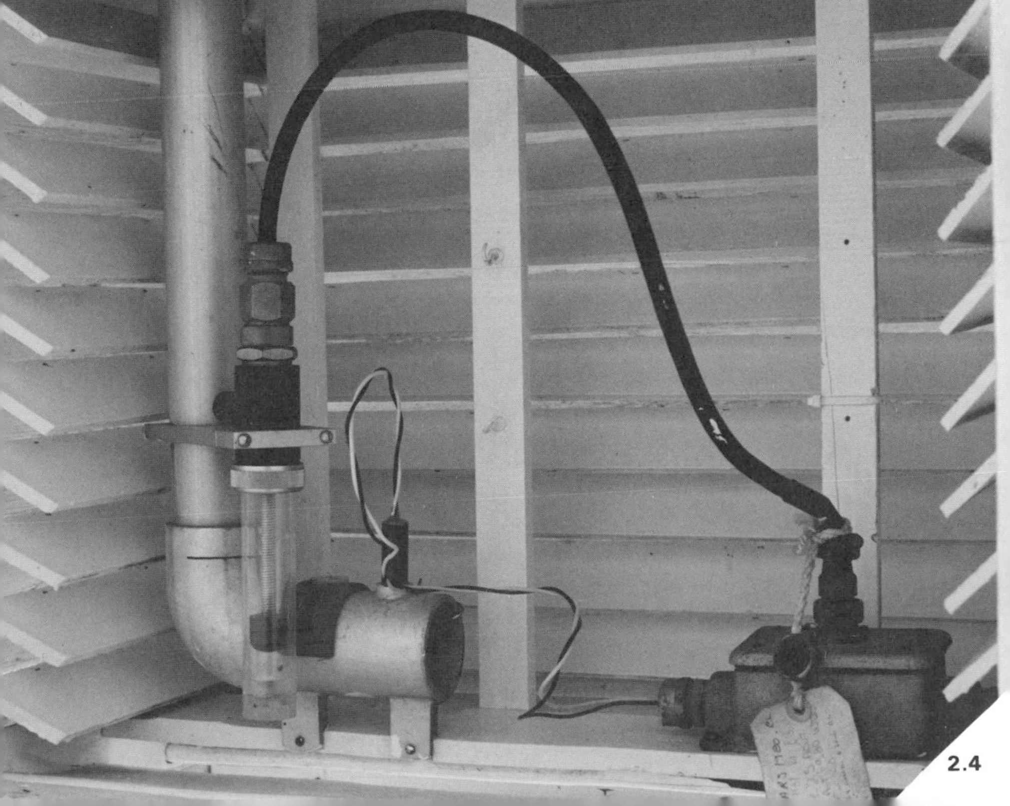

2.4

2.5 BAROMÈTRE À MERCURE

Le baromètre à mercure est constitué d'une colonne de mercure qui repose dans un réservoir contenant également du mercure. Les variations de la pression atmosphérique font monter ou descendre le mercure dans la colonne. Cette hauteur est transposée en kilopascal (kPa) ou en millibar (mb), unité couramment employée en météorologie (1 kPa=10 mb). La mesure de la pression atmosphérique et de ses variations est fondamentale en météorologie.

Afin de comparer les mesures de pression prises en différents endroits sur la Terre, on ramène les mesures à un niveau de référence, celui du niveau moyen de la mer (puisque la pression diminue avec l'altitude).

On attribue à Torricelli l'invention du baromètre à mercure en 1644; le mot *baromètre* a été suggéré par R. Hooke en 1665.

2.6 BAROGRAPHE

Le baromètre anéroïde est constitué d'une capsule métallique sous vide partiel qui se comprime ou se dilate selon que la pression atmosphérique est élevée ou basse. Un système de leviers amplifie et transfère ce mouvement à une aiguille qui se déplace sur un cadran où on lit la valeur de la pression (figure 5.1).

Dans le cas du barographe, une plume enregistre les fluctuations de la pression sur un papier graphique monté sur un cylindre qui tourne sur lui-même en une semaine (habituellement).

Le baromètre anéroïde a été conçu en 1698 par le mathématicien G. Liebniz et réalisé par le Français Lucien Vidie en 1843.

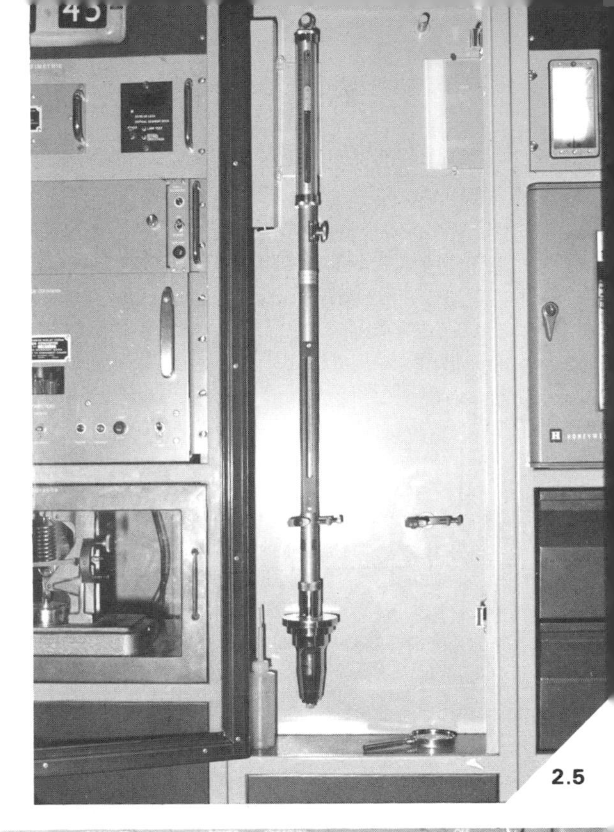
45

2.5

TRANSMIT
SAMPLE
SAMPLE INTERVAL
DECREASE
POWER
OVERRUN
OFF POWER
DEUX DEMIS-TOURS SEULEMENT

2.6

2.7 ANÉMOMÈTRE ET GIROUETTE

Deux instruments sont nécessaires pour mesurer le vent. L'anémomètre mesure sa vitesse, exprimée en kilomètres par heure (km/h), et la girouette indique sa direction, exprimée en degrés par rapport au nord géographique. La direction du vent est la direction d'où vient le vent.

L'anémomètre est constitué de trois coupelles en forme de demi-sphère. Ces dernières sont couplées à un générateur qui produit un voltage d'autant plus élevé que la vitesse du vent est grande. La girouette est constituée d'une flèche montée sur un pivot et d'un empannage qui l'oriente toujours dans la direction d'où vient le vent.
C'est en 1450 que le mathématicien L. Alberti décrivit un instrument pour mesurer la vitesse du vent. En 1667, R. Hooke perfectionne cet appareil qui sera utilisé durant plus de 100 ans. Cet anémomètre consistait en une plaque suspendue par une tige attachée à un pivot. La déflection de la plaque par rapport à la verticale servait de mesure de la vitesse du vent. L'anémomètre à coupelles a été inventé par T.R. Robinson en 1846 mais c'est un Canadien, J. Patterson qui, en 1925, perfectionna un modèle qui fut utilisé internationalement. La girouette est un instrument beaucoup plus ancien puisqu'il était connu il y a environ 4 000 ans.

2.8 PLUVIOMÈTRE STANDARD

Le pluviomètre sert à mesurer la hauteur de pluie tombée. C'est un récipient cylindrique de 36 cm de hauteur et de 11,4 cm de diamètre. Sa partie supérieure est amovible et a la forme d'un entonnoir par lequel l'eau s'égoutte pour être recueillie dans un cylindre gradué. Installé sur une base en ciment horizontale, il est soutenu par une fixation spéciale. Il est placé dans un endroit dégagé. Le pluviomètre est aussi utilisé dans les stations climatologiques.
La première mention du pluviomètre remonte à 400 ans av. J.-C. mais on attribue à Castelli l'invention du pluviomètre en 1639. C'est le révérend Horsley qui, en 1722, proposa un modèle semblable à celui que l'on utilise de nos jours.

2.7

2.8

2.9 - 2.10 PLUVIOGRAPHE (vue extérieure)

Le pluviographe sert à enregistrer l'intensité de la pluie. Les données recueillies à l'aide du pluviographe permettent de calculer la fréquence probable de la hauteur de pluie pouvant tomber durant une période donnée (habituellement 15 min, 30 min, 1 h, 6 h, 12 h, 24 h) et servent au dimensionnement des égouts pluviaux par exemple.

On compte au Québec environ 125 stations munies d'un pluviographe à augets.

(vue des augets basculeurs)

L'eau de pluie est amenée vers deux augets qui peuvent basculer sur leur axe vertical. Dès qu'un auget contient 0,2 mm de pluie, il bascule (pour se vider) et il est remplacé par le second auget, vide. Le mouvement de va-et-vient active un circuit électrique qui actionne une plume sur un enregistreur constitué d'un cylindre qui tourne sur lui-même en une journée. La pente de la trace de la plume détermine l'intensité de la pluie.

2.11 - 2.12 NIVOMÈTRE À ÉCRAN DE NIPHER (vue extérieure)

Pour mesurer la hauteur de neige tombée on utilise le nivomètre à écran de Nipher.

L'écran, inventé en 1879 par F. Nipher et en forme de cloche renversée, est conçu de telle sorte que les tourbillons générés par la présence même de l'appareil sont réduits au minimum. La hauteur de neige tombée est alors mesurée plus précisément. L'écran est monté sur un tube télescopique et la distance entre le rebord de l'écran et le couvert nival est gardée à 1,5 m.

(vue du nivomètre)

Le nivomètre, situé à l'intérieur de l'écran, est un cylindre de cuivre de 12,7 cm de diamètre et de 50,8 cm de hauteur. Après avoir mesuré la hauteur de neige qui s'y est accumulée, on la fait fondre afin d'obtenir l'équivalent en eau. Le rapport entre l'équivalent en eau et la hauteur de neige donne la densité de la neige. En moyenne celle-ci est de 0,10, c'est-à-dire que 10 cm de neige fondue donnent 1 cm d'eau.

2.10

2.9

2.12

2.11

2.13 TÉLÉMÈTRE DE PLAFOND

La hauteur de la base des nuages est importante dans le cadre des opérations aériennes. On la mesure, aux stations du réseau synoptique, à l'aide d'un télémètre de plafond.

Cet appareil, qui fonctionne autant le jour que la nuit, est constitué d'un projecteur et d'un récepteur séparés d'une distance fixe connue. Le projecteur émet vers le ciel un signal pulsé selon un angle d'élévation constamment variable. Le récepteur est muni d'un dispositif spécial permettant de reconnaître le signal réfléchi par la base des nuages. Par triangulation, on obtient la hauteur des nuages qui s'enregistre sur un appareil situé à l'intérieur de la station d'observation.

2.14 TRANSMISSIOMÈTRE

Le transmissiomètre est un appareil qui mesure la portée visuelle de piste, c'est-à-dire la distance à laquelle la piste ou les feux de bord de piste peuvent être vus par un pilote d'un endroit sur la piste à proximité de l'appareil. Le transmissiomètre mesure la capacité de transmission de rayonnement par l'atmosphère et est constitué d'un émetteur et d'un récepteur séparés par une distance fixe.

La visibilité est une autre mesure de la transparence de l'air. C'est une donnée très importante dans le cadre des opérations aériennes ou maritimes. Au même titre que les autres variables météorologiques, la visibilité est évaluée au moins toutes les heures aux stations météorologiques. Pour mesurer la visibilité, l'observateur dispose d'un ensemble de points de repère situés à des distances connues tout autour de la station. Puisque la visibilité peut varier avec la direction autour du point d'observation, l'observateur rapporte la valeur de la visibilité dominante qui est déterminée selon une procédure particulière. Les points de repère utilisés le jour (montagnes, bâtiments, etc.) diffèrent de ceux employés la nuit (balises, sources lumineuses, etc.). Le brouillard, la neige, la pluie, etc., contribuent à réduire la visibilité. L'unité de mesure de la visibilité est le mille marin ou le kilomètre.

2.13

2.14

2.15 RADIOSONDE

Afin de mesurer la température, l'humidité, la vitesse et la direction du vent en altitude, on utilise une radiosonde. Cet appareil est entraîné par un ballon gonflé à l'hydrogène qui s'élève à une vitesse d'environ 5 m/s. Il éclate lorsque son diamètre est de 6 m, c'est-à-dire lorsqu'il a atteint une altitude entre 25 km et 30 km. La radiosonde redescend alors doucement vers le sol grâce à un petit parachute.

La radiosonde est munie d'éléments qui mesurent la pression, la température et l'humidité, ainsi que d'un transmetteur radio. Durant l'ascension de la radiosonde, les mesures sont transmises à la station réceptrice qui, grâce à une antenne directionnelle, repère avec précision sa position. Cela permet d'obtenir la vitesse et la direction des vents en altitude. Les données recueillies par les radiosondes sont indispensables pour établir les prévisions météorologiques.

Au Canada, 34 stations aérologiques relâchent une radiosonde deux fois par jour, à midi et à minuit TU (heure de Greenwich).

2.16 RADAR MÉTÉOROLOGIQUE

Le radar météorologique est un appareil très sophistiqué utilisé de plus en plus en météorologie, soit pour effectuer des prévisions à court terme, soit pour la recherche sur la physique des nuages.

La figure 2.16 montre le dôme recouvrant le radar météorologique de l'Université McGill, situé à Sainte-Anne-de-Bellevue, Québec.

Le radar localise et détermine l'étendue des zones de précipitation à l'intérieur d'un rayon d'environ 300 km. Il permet aussi de déterminer la hauteur des nuages et l'intensité probable de la précipitation. En effectuant des mesures successives sur les cellules de précipitation, on prévoit leur position et leur intensité. Les radars les plus perfectionnés mesurent les mouvements d'air (relatifs) à l'intérieur des nuages.

Au Canada, 11 radars, principalement situés près des centres urbains, sont en opération, dont deux au Québec.

2.15

2.16

2.17 ORDINATEUR CRAY-X-MP

L'ordinateur est un outil essentiel en météorologie, où il exerce trois fonctions importantes. Il sert d'abord à gérer les informations météorologiques. Sans lui, il serait très difficile, voire impossible, de recueillir, de contrôler, de valider, de distribuer et d'archiver l'énorme quantité d'informations météorologiques, en provenance de tous les coins du pays, dans un délai adéquat.
L'ordinateur sert aussi à faire la prévision numérique. Celle-ci se base sur un ensemble d'équations mathématiques décrivant les mouvements de l'atmosphère. À partir des observations et à l'aide de diverses techniques, le modèle fournit une image future, ou prévue, de l'atmosphère.
La troisième fonction de l'ordinateur est de servir d'outil à la recherche et aux applications. Par exemple, il peut être employé dans des recherches sur le climat. On procède dans ce cas à l'aide de modèles analogues à ceux utilisés pour la prévision. On s'en sert aussi pour analyser, à l'aide de méthodes statistiques, les données recueillies sur les réseaux d'observation.

Le Canada s'est récemment doté de l'ordinateur le plus puissant au monde: le CRAY, qui peut effectuer 50 millions (et plus) d'opérations par seconde. Sa capacité permettra d'effectuer des prévisions à plus long terme, soit de cinq à sept jours.

2.18 MÉTÉOROLOGISTES AU TRAVAIL

Le météorologiste est avant tout un scientifique qui, dans son travail, comprend et applique les lois qui régissent l'atmosphère.

Le travail de météorologiste exige un esprit d'analyse et de synthèse particulièrement bien articulé. Le météorologiste évalue une quantité innombrable d'informations de toutes sortes. Le météorologiste doit pouvoir s'adapter facilement et faire face constamment à de nouveaux problèmes et il travaille dans des conditions qui exigent des décisions rapides.

Le travail de météorologiste est un travail d'équipe. Le météorologiste compte tout d'abord sur les observateurs météorologiques pour lui fournir les observations dont il a besoin. À son bureau, le météorologiste est en fréquente consultation avec ses confrères dans le but d'harmoniser les différentes prévisions et d'offrir un meilleur service à la population.

2.17

2.18

2.19 CARTE MÉTÉOROLOGIQUE

Le météorologiste analyse régulièrement les cartes météorologiques de surface sur lesquelles on pointe sous forme codée de nombreuses observations météorologiques (pression, température, nuages, vent, etc.) des stations synoptiques.

La figure 2.19 montre la carte de surface du 26 novembre 1981 à 18 TU. On note la présence d'une dépression à environ 200 km à l'ouest du lac Michigan avec son front froid et son front chaud. Cette perturbation s'est déplacée vers Val d'Or et a amené dans le sud de l'Ontario et du Québec de la pluie et de la pluie verglaçante et, plus au nord, de la neige. On remarque aussi une zone de haute pression dans l'extrême nord du Québec de même qu'une intense dépression au sud de Terre-Neuve.

La première carte météorologique est due à H.W. Brandes qui en 1820 analysa des données recueillies en Europe grâce au réseau de la Société météorologique du Palatinat (Allemagne) qui fonctionna de 1781 à 1792.

2.20 PHOTO DE SATELLITE EN INFRAROUGE

La figure 2.20 montre la photo prise par le satellite géostationnaire américain GOES le 26 novembre 1981 à 18 TU. La photo est prise dans la bande de longueur d'onde infrarouge.

On note une imposante masse nuageuse qui recouvre l'Ontario et qui envahit l'ouest du Québec. Les nuages les plus élevés se situent sur le lac Michigan. Ces nuages sont associés à la dépression et au front chaud illustrés sur la carte de surface analysée montrée à la figure 2.19. On remarque aussi les nuages qui se situent à l'avant du front froid.

L'analyse de la carte météorologique de surface et de la photo satellite permet au météorologiste de repérer la position et l'intensité des systèmes météorologiques, d'identifier les fronts, de déterminer l'extension des nuages et de la précipitation, etc.

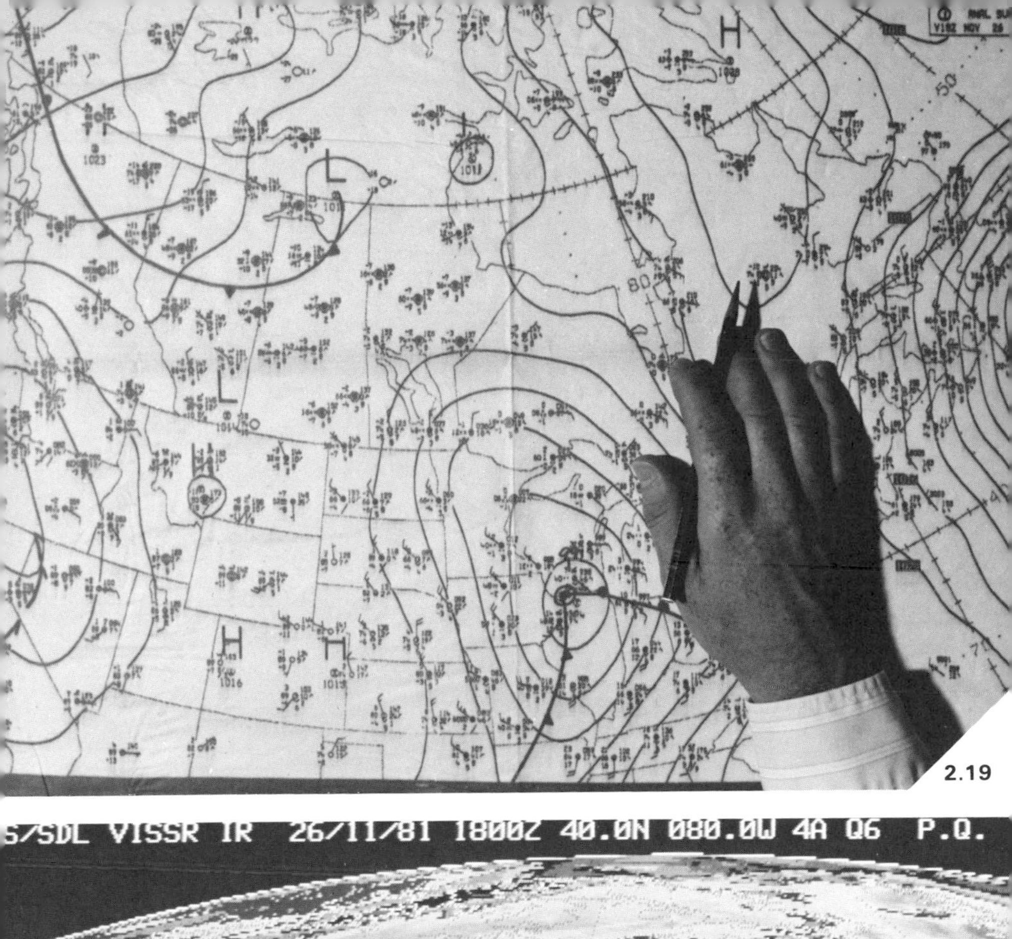
2.19

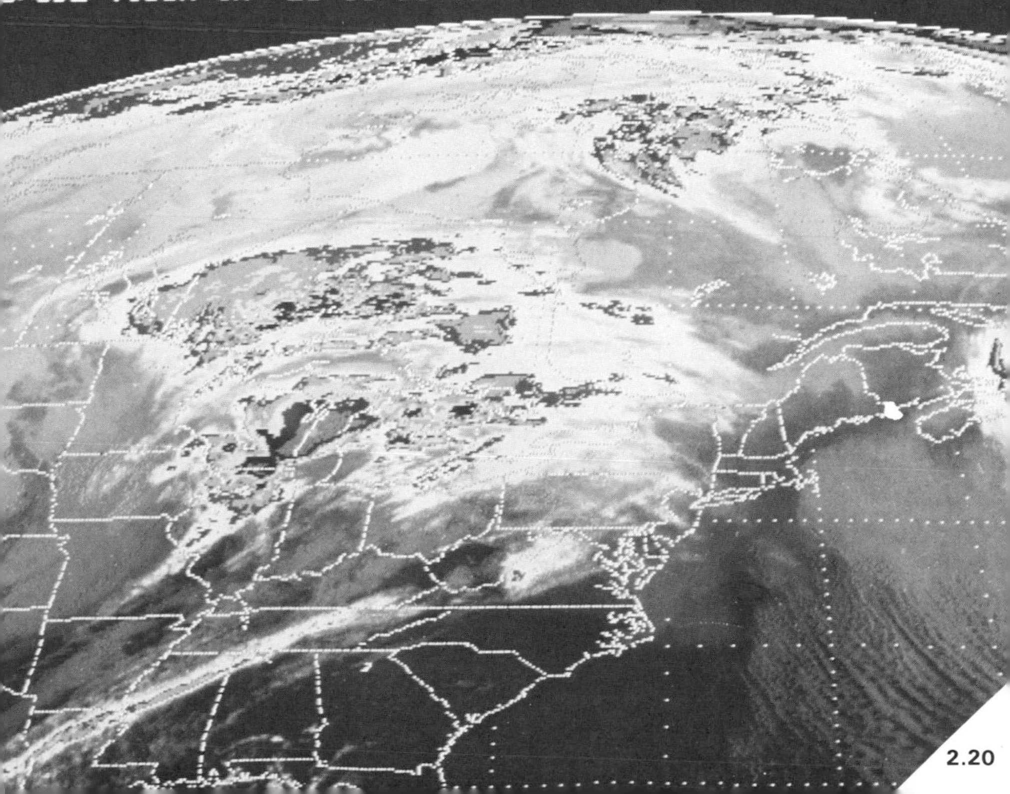

2.20

Chapitre 3

Les instruments climatologiques

La climatologie est une science physique qui s'intéresse au climat, c'est-à-dire à l'état moyen du temps. Une préoccupation importante de la climatologie consiste à identifier, à classifier, à décrire et à expliquer les climats actuels ou passés. La climatologie cherche aussi à comprendre les fluctuations climatiques actuelles et à prévoir celles du futur. De plus, la climatologie est mise à contribution dans une foule d'autres activités tels l'agriculture, la sylviculture, le transport, la construction, l'énergie, le loisir, etc.

Comme toutes les sciences physiques, la climatologie se sert d'instruments pour recueillir des données permettant au climatologue de mieux comprendre le climat et son interrelation avec les activités humaines. Les observations faites durant de nombreuses années à un même endroit lui sont très précieuses.

3.1 ABRI THERMOMÉTRIQUE

L'abri thermométrique est destiné à loger des thermomètres. Son toit offre une protection adéquate contre les rayons du soleil et son inclinaison vers l'arrière assure l'égouttement de la précipitation. L'abri est construit en abat-son simple, ce qui permet une bonne ventilation des instruments. La porte de l'abri ouvre vers le bas et est toujours orientée vers le nord géographique; de la sorte les rayons solaires ne peuvent pénétrer dans l'abri lorsque l'on fait la lecture des thermomètres. L'abri utilisé actuellement a été inventé en 1864 par l'ingénieur, T. Stevenson, père de l'écrivain Robert-Louis Stevenson.

Au Québec, on compte environ 400 stations climatologiques mesurant la température.

3.2 THERMOMÈTRES

a) **Thermomètre à maximum et thermomètre à minimum**

Le thermomètre à maximum ressemble à un thermomètre médical: son capillaire est étranglé près du réservoir et son liquide thermométrique est du mercure. Après chaque lecture, la colonne de mercure est ramenée à la température actuelle en secouant le thermomètre. Il sert à mesurer la température maximale d'une journée.

Le thermomètre à minimum ressemble à un thermomètre ordinaire à l'exception d'un curseur en forme d'haltères qui peut se déplacer librement dans le capillaire. Son liquide thermométrique est de l'alcool (coloré ou non) puisque l'alcool ne gèle qu'à -65°C tandis que le mercure gèle à -40°C.

Ces thermomètres ont été développés par James Six en 1794.

b) **Psychomètre ordinaire**

Le psychromètre ordinaire est un dispositif constitué de deux thermomètres ordinaires. Sur le réservoir de l'un des deux thermomètres on place une mousseline qui trempe dans un réservoir d'eau; de la sorte la mousseline est maintenue constamment humide.

Le thermomètre ordinaire a été inventé par Ferdinand de Toscagne en 1641.

3.1

3.2

3.3 THERMOMÈTRE À MINIMUM DE GAZON

Le thermomètre à minimum de gazon fonctionne comme un thermomètre à minimum sauf qu'il est constitué d'une double tubulure de verre. Le soir, il est installé sur un support métallique, au niveau des brins de gazon. La température minimale lue sur ce thermomètre, au niveau du sol, est souvent inférieure à la température minimale mesurée dans l'abri, particulièrement au printemps et à l'automne. Cette valeur est utile en agriculture pour déterminer les jours où il y a gel au sol. Au Québec la température minimale au niveau du gazon est mesurée dans une trentaine de stations climatologiques.

3.4 GÉOTHERMOMÈTRE ORDINAIRE

Un géothermomètre sert à mesurer la température du sol. Le géothermomètre ordinaire est semblable à un thermomètre ordinaire sauf que sa tige est recourbée à 90 °. Son réservoir est enfoncé dans le sol (5 cm, 10 cm, 20 cm) alors que l'autre partie de la tige repose à plat sur le sol. Ce géothermomètre n'est pas utilisé durant la saison froide.

Le géothermomètre électrique est constitué d'une sonde électrique (thermocouple ou thermistor) reliée à une console par des fils. Les sondes sont enfoncées à différentes profondeurs (jusqu'à 300 cm) et la mesure de la température du sol est faite durant toute l'année. Environ 25 stations climatologiques au Québec mesurent la température du sol. Ces données servent à des applications en agro-climatologie.

3.3

3.4

3.5 GÉOHYGROMÈTRE

Autant que la température, le degré d'humidité du sol s'avère important pour la croissance des plantes. Le géohygromètre mesure le degré d'humidité du sol en pourcentage. Cet appareil est constitué de deux électrodes enrobées d'un matériau hydrophile, tel le gypse. Pour déterminer le degré d'humidité du sol, on mesure, à l'aide d'un pont de Weathstone, la résistance électrique du cylindre de gypse.

Chaque printemps on remplace les cylindres de gypse qui sont enfouis à des profondeurs allant de 5 cm à 30 cm.

3.6 PLUVIOGRAPHE (à pesée)

La figure 3.6 montre un pluviographe du type Fisher-Porter. Dans cet appareil, l'eau de pluie est recueillie dans un récipient qui repose sur une balance. À intervalles réguliers, un dispositif mesure automatiquement la masse de l'eau contenue dans le récipient. Par soustraction successive, on obtient alors la hauteur de pluie tombée. Pour empêcher l'évaporation, en été, le récipient contient de l'huile. En hiver, on y met de l'antigel, ce qui fait fondre la neige. Les lames métalliques qui entourent l'appareil à la hauteur de l'orifice peuvent osciller librement sur le cerceau. Cela a pour effet de réduire la turbulence due à la présence même de l'appareil. Les observations sont enregistrées sur un ruban ou dans certains cas transmises à un satellite météorologique. Ce type de pluviographe est souvent utilisé dans les stations automatiques éloignées. En 1695, Robert Hooke avait développé un pluviographe à pesée.

Dans les stations climatologiques, la mesure de la pluie se fait avec un pluviomètre, comme celui montré à la figure 2.8. Au Québec, environ 375 stations climatologiques mesurent la hauteur de pluie.

3.5

3.6

3.7 ÉCHELLE DE BEAUFORT

La mesure de la vitesse et de la direction du vent n'est faite avec des appareils que dans une quarantaine de stations au Québec. Dans la majorité des stations climatologiques la mesure de la vitesse du vent est estimée d'après l'échelle Beaufort. Avec cette échelle on peut estimer la vitesse du vent à partir de ses effets sur terre ou sur mer. L'échelle se divise en 13 degrés ou forces. Étant donné l'incertitude reliée à ce genre de mesure, chaque force correspond à une plage de vitesse de vent plutôt qu'à une valeur particulière. Le météorologiste amateur aura avantage à mémoriser une telle échelle ou à en conserver une copie. Celle présentée à la page suivante n'a trait qu'aux effets du vent sur terre. Pour connaître ces effets sur mer, le lecteur consultera les ouvrages cités en bibliographie. La direction du vent sera mesurée tout simplement à l'aide d'une boussole en s'assurant de bien se référer au nord géographique.

De cette façon, le météorologiste amateur pourra se familiariser avec la vitesse et la direction du vent, deux des éléments qui, avec la connaissance des nuages, sont indispensables à la compréhension du climat.

L'échelle de Beaufort a été imaginée par l'amiral sir Francis Beaufort en 1805 pour pallier le manque d'instrument.

ÉCHELLE DE BEAUFORT

Force	Appellation	Effet	Plage de vitesse (km/h)
0	Calme	La fumée monte verticalement	0
1	Très légère brise	La fumée indique la direction du vent mais non les girouettes	1-5
2	Légère brise	Le vent est perçu au visage; les feuilles frémissent	6-10
3	Petite brise	Les feuilles et les brindilles sont constamment agitées; le vent déploie les drapeaux légers	11-19
4	Jolie brise	Le vent soulève la poussière et les feuilles de papier; les petites branches sont agitées	20-29
5	Bonne brise	Les petits arbres feuillus commencent à se balancer	30-39
6	Vent frais	Les grandes branches sont agitées; il est difficile de se servir d'un parapluie	40-49
7	Grand vent frais	Les arbres sont agités en entier; marcher face au vent est difficile	50-60
8	Coup de vent	Le vent casse les petites branches; marcher face au vent est pénible	61-74
9	Fort coup de vent	Légers dommages aux habitations, aux antennes	75-89
10	Tempête	Arbres déracinés, grands dommages aux constructions	90-100
11	Violente tempête	Ravages étendus	101-119
12	Ouragan	Surtout en mer	120 +

Note: Les limites des plages de vitesse ont été légèrement modifiées.

3.8 TABLE À NEIGE

C'est un instrument simple qui sert à mesurer la hauteur d'une chute de neige.

La table à neige est faite à partir d'une planche carrée d'environ 30 cm de côté et de 2,5 cm d'épaisseur. Une tige métallique de 30 cm est fixée en son centre et son extrémité se termine par un œil auquel on fixe un ruban voyant (pour retrouver la table après une forte chute de neige).

La table sert de niveau de référence. On mesure la hauteur de neige tombée en enfonçant dans la neige, jusqu'à la table, une règle graduée. Après la mesure, la table est nettoyée et replacée sur le manteau nival.

3.9 ÉCHELLE À NEIGE

La mesure de la neige au sol se fait grâce à l'échelle à neige qui est tout simplement un piquet vertical gradué.

La quantité de neige au sol a une épaisseur qui varie tout au long de l'hiver et son épaisseur totale n'est pas égale à la somme des hauteurs des chutes de neige. En effet, lorsqu'elle repose au sol, la neige se compacte, elle fond et elle s'évapore. L'équivalent en eau de la neige au sol est fréquemment mesuré au printemps, lors de la fonte des neiges, alors que les risques d'inondation sont plus élevés. La popularité grandissante du ski de fond permet une nouvelle application de cette valeur.

3.8

3.9

3.10 CAROTTIER À NEIGE

Le carottier à neige est constitué de deux tubes dont la longueur totale est de 150 cm et dont le diamètre est de 5 cm. Cet appareil sert à prélever un échantillon (carotte) de neige dans le couvert nival. L'échantillon est pesé à l'aide d'une balance graduée en équivalent d'eau (hauteur d'eau). On calcule la densité de la neige au sol en faisant le rapport entre l'équivalent d'eau et la hauteur de la neige au sol.

Puisque la hauteur de neige au sol peut varier considérablement entre deux points même rapprochés, l'échantillonnage du couvert nival s'effectue le long d'une «ligne de neige» qui est constituée de 10 points de repère fixes, sous couvert forestier, séparés par une distance de 33 m. Une valeur moyenne est retenue pour chaque ligne de neige. L'équivalent d'eau du manteau nival de chaque ligne est déterminé tous les quinze jours en période de fonte.

Ces données sont utilisées afin de prévoir et de contrôler l'écoulement d'eau de certains cours d'eau. On compte au Québec plus de 200 lignes de neige.

3.11 GLACIMÈTRE

Le glacimètre est un appareil qui permet d'évaluer l'épaisseur de glace qui s'accumule durant une tempête de verglas. Avec un vernier, on mesure l'épaisseur de la glace sur les tiges (métalliques) et les faces verticale et horizontale. Ces mesures donnent une indication de l'épaisseur de la glace qui s'accumule sur les fils électriques. Au Québec, on compte plus d'une centaine de stations qui sont munies de cet appareil. La figure 4.7 montre l'importance du phénomène des précipitations verglaçantes.

3.10

3.11

3.12 HÉLIOGRAPHE

L'héliographe sert à mesurer le nombre d'heures d'ensoleillement. Dès que le soleil atteint 3 ° d'altitude, ou qu'une ombre est portée au sol, la sphère de verre focalise les rayons solaires qui brûlent un carton inséré dans une rainure située sur un support métallique à l'arrière de la sphère. Chaque jour, on change le carton et on mesure la longueur des brûlures à l'aide d'une règle spéciale graduée en heures. Puisque la longueur du jour varie selon les saisons, on doit utiliser un carton plus long en été qu'en hiver. De même puisque le soleil est plus élevé dans le ciel en été qu'en hiver, il faut insérer le carton dans une rainure différente (rainure supérieure en hiver et inférieure en été). Le réseau climatologique du Québec compte environ 80 héliographes.

C'est en 1853 que J.F. Campbell inventa l'héliographe, puis en 1879 G.G. Stokes modifia ce premier appareil. Celui que l'on utilise aujourd'hui, appelé héliographe Campbell-Stokes, est presque identique à celui de Stokes.

3.13 BILANMÈTRE

La figure 3.13 montre un bilanmètre. Ce radiomètre mesure le bilan du rayonnement, c'est-à-dire le flux net de tous les rayonnements d'origine solaire, terrestre ou atmosphérique. Un radiomètre est constitué d'une thermopile qui produit un courant électrique lorsqu'on l'expose au rayonnement: plus le rayonnement est élevé, plus le courant est élevé.

La mesure du rayonnement se fait dans un nombre restreint de stations, environ 25 dans l'ensemble du réseau canadien; quatre composantes du rayonnement sont mesurées, soit le rayonnement solaire global, le rayonnement solaire diffus, le rayonnement solaire réfléchi et le bilan du rayonnement. Pour chacune de ces mesures on utilise un appareil différent.

3.12

3.13

3.14 BAC D'ÉVAPORATION

L'évaporation de l'eau dans l'atmosphère se fait selon deux modes: par évaporation des plans d'eau (ou des surfaces mouillées) et par transpiration des plantes. On appelle évapotranspiration la combinaison de ces deux modes.

Le bac d'évaporation est un instrument qui donne une mesure approximative de l'évaporation d'un plan d'eau ou d'une surface mouillée. Chaque jour (de la saison sans gel), l'observateur détermine la quantité d'eau évaporée en ajoutant au bac une quantité connue d'eau qui ramène le niveau d'eau du bac à un niveau de référence. L'excédent d'eau amené par l'eau de pluie est aussi mesuré.

L'évaporation est à la base du cycle de l'eau, cycle fondamental en météorologie. Pour connaître le bilan hydrique d'une localité ou d'une région, il faut mesurer la précipitation mais aussi l'évaporation.

Les données d'évaporation sont particulièrement importantes dans le cadre de la planification des cultures et de la gestion des ressources hydriques. L'évaporation est mesurée à un peu moins de 30 stations au Québec.

3.15 ANÉMOMÈTRE TOTALISATEUR

Cet anémomètre, qui totalise le nombre de kilomètres de vent, est utilisé de concert avec le bac d'évaporation puisque l'évaporation dépend de la vitesse du vent.

Les premières mesures systématiques de l'évaporation ont été faites par Sédileau entre juin 1688 et décembre 1690. Ce dernier mesura la précipitation et l'évaporation de l'eau d'un bassin afin de déterminer la dimension des réservoirs alimentant les fontaines de Versailles.

3.14

3.15

3.16 COLLECTEUR DE PRÉCIPITATIONS (acides)

Le collecteur est constitué de deux récipients et d'un détecteur de précipitation monté sur un bras. Lorsque la précipitation débute, le détecteur actionne un circuit qui fait déplacer le couvercle sur l'autre récipient permettant son accumulation dans le premier, initialement fermé. Lorsque la précipitation cesse, le couvercle revient en place, ce qui réduit l'évaporation et la contamination par différents agents, naturels ou autres. La précipitation est recueillie une fois par semaine pour être analysée en laboratoire.

Les précipitations acides sont devenues, depuis quelques années, un problème environnemental des plus urgents à résoudre. L'Est du Canada et les États du Nord-Est américain sont durement touchés par cette pollution qui a son origine dans les émissions de dioxyde de soufre et d'oxydes d'azote. Ces polluants sont émis en quantités considérables dans les régions industrialisées du Centre et de l'Est du continent américain. Lors de leur séjour dans l'atmosphère, ces polluants subissent des transformations chimiques et se déposent au sol sous forme de dépôts secs ou de dépôts humides (lorsqu'ils se combinent à la précipitation).

Le collecteur de précipitations (acides) a été conçu de façon à recueillir la précipitation dans le but de mesurer ses différentes propriétés chimiques, dont le pH (ou degré d'acidité).

Le ministère de l'Environnement du Québec opère un réseau de 46 stations climatologiques munies d'un collecteur de précipitations (acides).

3.17 BALISE

L'électronique et les satellites sont de plus en plus mis à profit dans les réseaux climatologiques. Grâce aux satellites, les données recueillies par un pluviographe ou un anémomètre installé dans une station automatique peuvent être immédiatement relayées à une centrale de collectes qui pourra les utiliser sans délai.

La collecte de données via les satellites s'avère particulièrement utile dans le cas des stations automatiques éloignées, comme celles situées dans le Moyen-Nord du Québec.

3.16

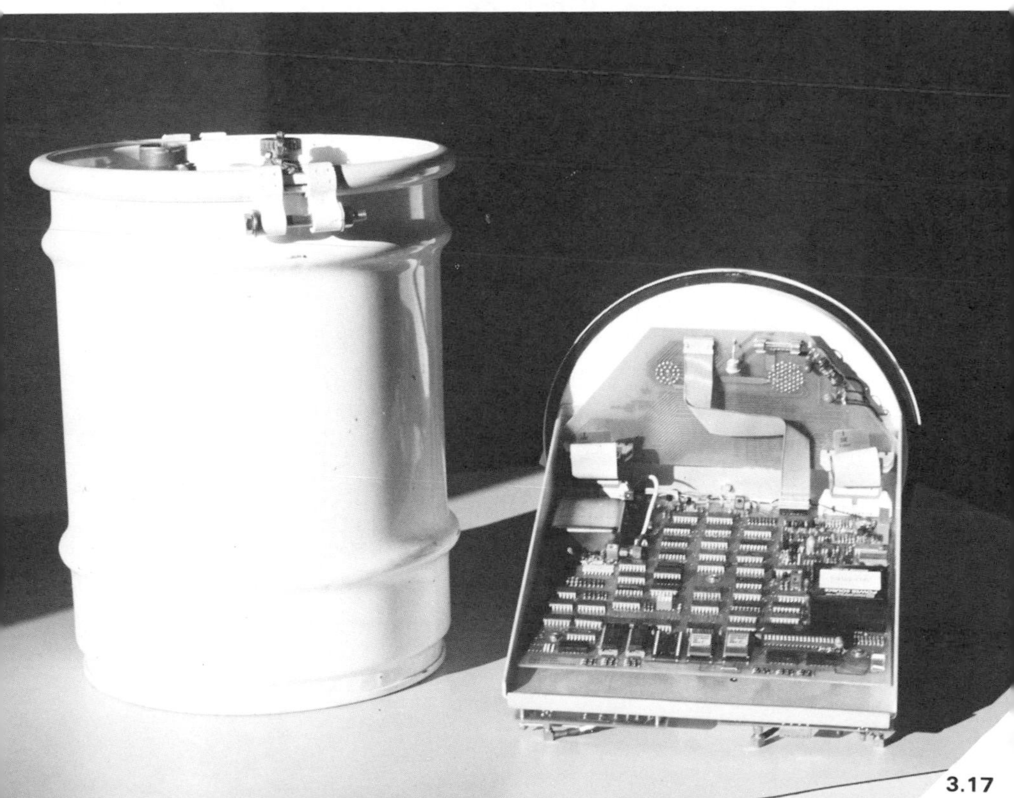
3.17

3.18 CLIMATS DU MONDE D'APRÈS J. LITYNSKI

Parmi leurs nombreuses applications, les données recueillies sur les réseaux climatologiques servent aussi à étudier les climats.

La diversité des climats de la Terre est connue depuis longtemps. Par exemple au XIVe siècle av. J.-C., les Égyptiens savaient que le climat des pays lointains était différent du leur.

La première tentative pour expliquer les climats de la Terre a été faite par Polybius (204-121 av. J.-C.) qui reconnaissait 6 grandes zones climatiques. Au XVIIe siècle, les informations recueillies par les marins anglais qui sillonnaient toutes les mers ont permis à Halley en 1686 de dessiner la première carte montrant la circulation des vents sur les océans. En 1817, A. von Humboldt publia la première carte montrant les isothermes de température moyennes sur l'hémisphère nord.

Après avoir reconnu la grande diversité des climats, les savants ont procédé à leur classification. La plus fameuse classification, celle de W. Köppen publiée en 1918, partage les climats du monde en 5 grandes zones qui sont redivisées selon les variations des températures et des précipitations.

D'autres classifications ont aussi vu le jour. La plus récente est due à un québécois, le professeur J. Litynski, de l'Université du Québec à Trois-Rivières, et publiée par l'Organisation météorologique mondiale. Sa classification a l'avantage d'être numérique et objective et elle permet d'étudier le climat sur une base tant générale que régionale ou locale.

La classification de Litynski repose sur trois éléments climatiques, soit la température moyenne annuelle, la précipitation annuelle totale et l'amplitude annuelle de la température.

Chaque climat est symbolisé par deux chiffres (classe de température et de précipitation) et une lettre (classe de continentalité). L'étendue géographique de chacun des climats varie beaucoup. Par exemple, le type 14C, unique au monde, occupe seulement 10 000 km^2 (Parc des Laurentides) alors que 44M couvre environ 19 millions de km^2 (Amazonie, bassin du Congo, Indonésie, etc.). Quinze climats occupent environ 63 % de la superficie des continents alors que le reste est partagé entre 45 climats différents.

On peut se procurer une carte de grand format aux Éditions Gamma.

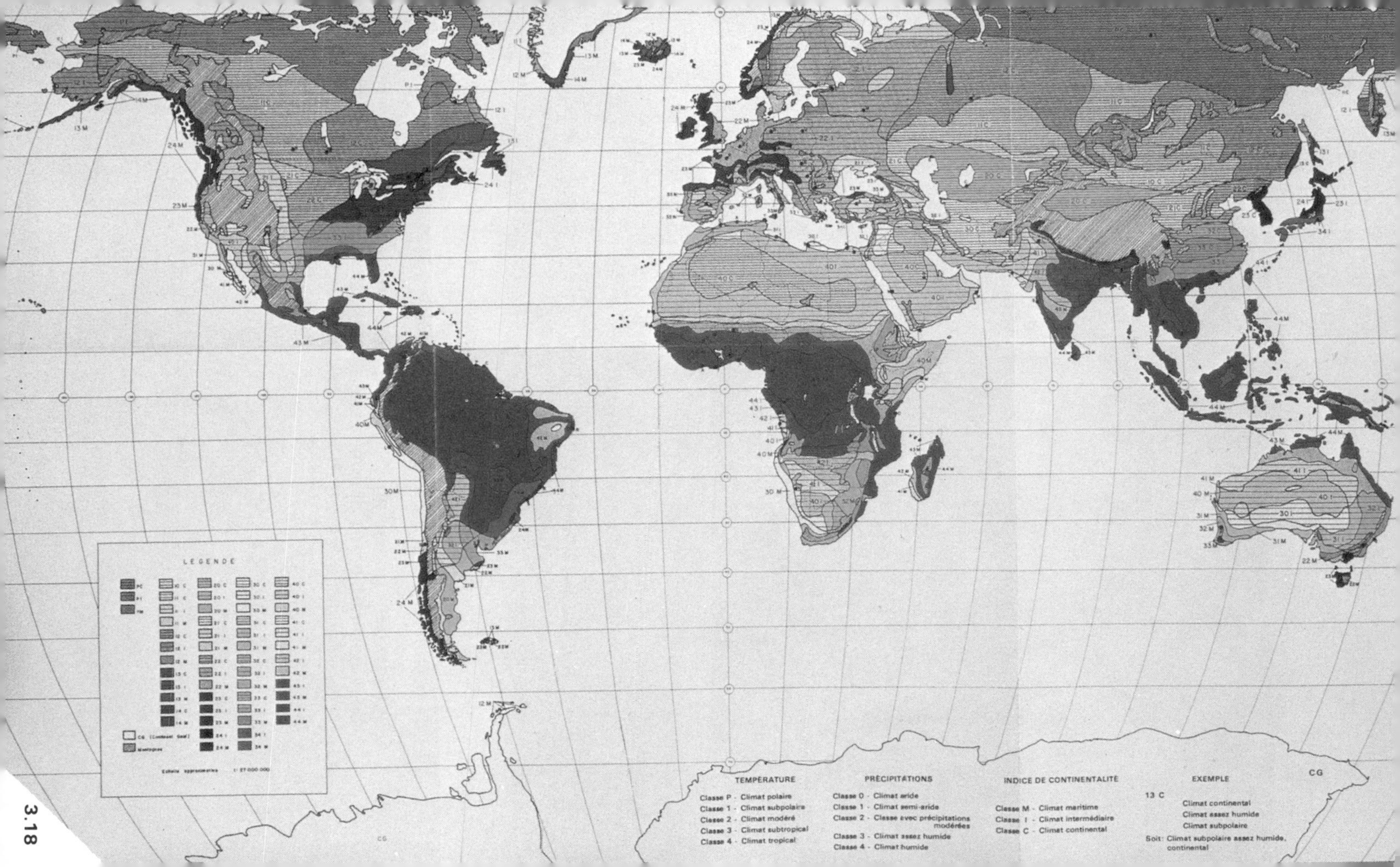
LÉGENDE
CG (Continent Glacé)
Échelle approximative 1/ 27 000 000
TEMPÉRATURE
Classe P - Climat polaire
Classe 1 - Climat subpolaire
Classe 2 - Climat modéré
Classe 3 - Climat subtropical
Classe 4 - Climat tropical
PRÉCIPITATIONS
Classe 0 - Climat aride
Classe 1 - Climat semi-aride
Classe 2 - Classe avec précipitations modérées
Classe 3 - Climat assez humide
Classe 4 - Climat humide
INDICE DE CONTINENTALITÉ
Classe M - Climat maritime
Classe I - Climat intermédiaire
Classe C - Climat continental
EXEMPLE
13 C
Climat continental
Climat assez humide
Climat subpolaire
Soit: Climat subpolaire assez humide, continental
CG

3.18

3.19

3.19 RÉSEAU PHÉNOLOGIQUE

Les plantes sont de véritables indicateurs climatiques puisque, mis à part les caractéristiques propres à un sol, leur croissance dépend des conditions météorologiques et climatiques locales. Le rayonnement solaire, les températures maximale et minimale, la longueur de la saison sans gel, la précipitation, l'évaporation, etc., sont autant de facteurs qui influencent directement le rendement d'une culture particulière.

À l'aide d'un réseau phénologique, on peut comparer les stades de croissance d'une plante particulière entre différents endroits et ainsi estimer les différences climatiques sur un territoire.

Chapitre 4

Phénomènes et effets météorologiques

L'atmosphère est le siège de phénomènes atmosphériques extrêmement variés. Certains, comme l'arc-en-ciel, sont d'une grande beauté; d'autres, comme la tornade, sont terrifiants. Ce sont ces phénomènes atmosphériques qui préoccupent le météorologiste, ce physicien de l'atmosphère.

Les divers phénomènes que nous présentons sont faciles à observer. Le météorologiste amateur en découvrira bien d'autres grâce à une observation attentive de l'atmosphère.

4.1 ARC-EN-CIEL

L'arc-en-ciel est un phénomène qui a toujours intéressé les poètes et les savants. Aristote croyait que l'arc-en-ciel était le résultat de la réflexion de la lumière sur les nuages. En 1304, le moine Théodoric de Freiburg montra que chaque gouttelette d'eau pouvait produire individuellement un arc-en-ciel. Au XVIIe siècle, René Descartes expliqua correctement la formation de l'arc-en-ciel mais c'est Isaac Newton qui en 1666 expliqua l'origine de ses couleurs (en décomposant, à l'aide d'un prisme, la lumière blanche en ses couleurs fondamentales).

L'arc-en-ciel est un phénomène optique: ce n'est pas un objet matériel. Il est produit par la réfraction et la réflexion de la lumière sur des gouttes de pluie qui agissent comme de multiples prismes. L'arc-en-ciel est composé d'un premier arc, appelé arc primaire, situé à une altitude de 41 ° 20' et d'une largeur de 2 ° 15'. Sa partie inférieure est de couleur violet suivi du bleu, du vert, du jaune, de l'orange et du rouge. Dans de bonnes conditions, on peut aussi observer un second arc, l'arc secondaire, situé à une élévation de 52 ° 15'. L'arc secondaire est difficile à observer puisque son intensité est 10 fois plus faible que celle de l'arc primaire. Ses couleurs sont inversées par rapport à l'arc primaire. On observe aussi parfois, sous l'arc primaire, d'autres arcs teintés de vert et de rose. La région entre l'arc primaire et l'arc secondaire s'appelle la bande sombre d'Alexandre en l'honneur du philosophe grec qui l'avait décrite 200 ans av. J.-C.

4.2 HALO SOLAIRE

Au contraire de l'arc-en-ciel, le halo solaire est formé par l'interaction de la lumière et des cristaux de glace. Le petit halo solaire est formé par la réfraction et la réflexion de la lumière sur les faces non adjacentes des cristaux de glace hexagonaux qui forment les nuages cirrostratus. Les cristaux de glace décomposent aussi la lumière en ses composantes fondamentales, mais de façon beaucoup moins nette que dans le cas de l'arc-en-ciel.

Le halo solaire était un phénomène observé en Chine ancienne. En Europe, la plus vieille peinture montrant un petit halo solaire remonte à 1535 et elle est située dans la cathédrale de Stockholm: elle représente un petit halo qui se produisit le 21 avril 1535 entre 7 h et 9 h du matin.

4.1

4.2

4.3 CIEL BLEU

Sans atmosphère, la couleur du ciel serait d'un noir profond, comme c'est le cas sur la Lune ou dans l'espace.

Lorsque la lumière solaire frappe les molécules d'air, les rayons lumineux sont dispersés. Lord Rayleigh, physicien du XIXe siècle, a montré que la dispersion dépend de la longueur d'onde: elle est moins importante dans le cas de la lumière rouge que dans le cas de la lumière bleue. Lorsqu'un rayon lumineux frappe une molécule d'air, la composante rouge poursuit (plus ou moins) sa trajectoire alors que la bleue est dispersée tout autour de la molécule. C'est pourquoi le ciel est bleu.

4.4 COUCHER DE SOLEIL

Au lever et au coucher du soleil alors que les rayons lumineux ont traversé l'atmosphère sur une grande distance, la composante bleue a été presque toute dispersée alors que la composante rouge (ou orange) ne l'a été que peu. Le ciel prend alors sa couleur caractéristique rouge ou orangée.

Lorsque l'atmosphère est chargée de poussière durant des périodes où l'activité volcanique est plus grande, la couleur du ciel au moment du coucher du soleil prend alors des teintes féériques.

— «Rouge le soir et blanc le matin, bons quarts pour le marin.»

— «Le soleil rouge en se couchant, signe de vent.»

— «Rouge du soir, espoir.»

Ces dictons, inspirés par la splendeur d'un coucher de soleil, renferment une part de vérité. En effet les couchers de soleil flamboyants sont souvent observés dans des zones de haute pression qui amènent du beau temps.

4.3

4.4

4.5 TRAÎNÉE DE CONDENSATION

Lorsqu'un avion traverse le ciel à haute altitude, il est fréquent de noter qu'il laisse dans son sillage un fin nuage formé de cristaux de glace: c'est une traînée de condensation. Celle-ci est produite par le dégagement de vapeur d'eau, qui sature la couche atmosphérique traversée.

Les traînées de condensation ne sont pas toujours présentes. Dans certains cas, elles sont totalement absentes; dans d'autres, elles sont très courtes à l'arrière de l'avion. C'est le signe que l'air est sec. Lorsque les traînées de condensation sont persistantes, on observe souvent la présence de nuages de l'étage supérieur. Ce peut être le signe de l'approche d'un front chaud qui amènera du mauvais temps.

4.6 TEMPÊTE DE NEIGE

Durant l'hiver, le Québec connaît souvent quelques bonnes tempêtes qui paralysent plus ou moins complètement les activités d'une partie importante de la population.

Le climat hivernal, de par sa durée et son intensité, a un impact dont les ramifications s'étendent jusque dans les moindres activités. Par exemple, les coûts du déneigement sont très élevés. Au Québec en 1980, on y consacra pas moins de 111 millions de dollars alors qu'au Canada il coûterait plus d'un milliard de dollars par année. À Montréal, on ramasse en moyenne quelque 9 millions de mètres cubes de neige par hiver. Une seule bonne tempête peut, à elle seule, représenter des manques à gagner ou pertes (salaires, vente, productivité, etc.) de plusieurs dizaines de millions de dollars.

Mais il n'y a pas que de mauvais côtés au climat hivernal. En effet, la neige, dénommée «l'or blanc», est aussi le gagne-pain de plusieurs; l'industrie du tourisme et du loisir compte sur sa présence.

La figure 4.6 montre les résultats de la tempête du 4 mars 1971. Cette tempête déversa 47 cm de neige sur la région métropolitaine de Montréal.

4.5

4.6

4.7 TEMPÊTE DE VERGLAS

Le verglas se produit lorsqu'une portion de la basse troposphère est à une température supérieure à 0°C alors que la température au sol est inférieure à 0°C. Lorsque la neige tombe, elle fond puis se recongèle en touchant les objets au sol ou près du sol.

Les tempêtes de verglas accompagnées de vent sont parmi les tempêtes les plus éprouvantes. Les routes, rues, trottoirs, pistes d'aéroports et voies de toutes sortes deviennent vite impraticables. La pluie verglaçante cause des dommages importants aux lignes de transmission électrique, aux fils de téléphone et aux arbres. La distribution d'électricité, vitale pour le chauffage et les industries, est souvent interrompue lors des tempêtes de verglas.

Le 14 décembre 1983, la région de Montréal fut touchée par une tempête de verglas (figure 4.7). On estime que 400 000 personnes furent privées d'électricité pour une grande partie de la journée et des centaines pour plus d'une semaine. Quantités d'arbres furent brisés ou endommagés par environ 30 mm de pluie verglaçante. Cette tempête causa aussi pour environ cinq millions de dollars de dommages aux acériculteurs de la Beauce.

4.8 EMBÂCLE

Au printemps, les embâcles sont des phénomènes fréquents sur les rivières lorsque les glaces emportées par le courant s'accumulent et nuisent à l'écoulement naturel de l'eau. Lors d'une fonte ou d'une pluie importante, les embâcles peuvent alors produire des inondations. On a souvent recours à des explosifs pour dégager une rivière de ses glaces.

4.7

4.8

4.9 GRÊLE

La grêle est un phénomène météorologique particulièrement redouté des agriculteurs. En un rien de temps, une tempête de grêle peut réduire à néant ou endommager très sérieusement une récolte. On estime que, dans le monde, les dommages causés aux récoltes par la grêle s'élèveraient à 2 milliards de dollars par an.

Un grêlon est un véritable globule de glace dont le diamètre peut varier entre 5 mm et 50 mm; le plus gros grêlon aurait même mesuré 44 cm de diamètre.

La grêle est obligatoirement associée au nuage cumulonimbus (ne pas confondre avec le grésil, précipitation qui se produit durant la saison froide). Ce sont les courants d'air ascendants très violents qui permettent à un grêlon de se maintenir dans le nuage. Lorsqu'un grêlon frappe des petites gouttelettes de pluie à l'intérieur du nuage, celles-ci se congèlent à sa surface. Selon la température, la glace ainsi formée sera transparente ou opaque, ce qui donne au grêlon sa structure caractéristique en pelure d'oignons où la glace transparente alterne avec la glace opaque. Un grêlon peut monter et descendre dans le cumulonimbus à plusieurs reprises. Lorsqu'il est trop lourd et que les courants ascendants ne peuvent le transporter vers le haut, il tombe au sol.

4.10 INONDATION

Les inondations sont reconnues comme un des effets les plus désagréables, sinon les plus nuisibles du climat. En effet, même si l'inondation n'entraîne pas nécessairement des pertes de vie, elle cause néanmoins des dommages considérables et bien peu de choses peuvent être faites pour contrer cette force de la nature.

Au Québec, les inondations sont plus probables à la fonte des neiges, particulièrement lors de temps doux et pluvieux. Durant l'été, une inondation peut se produire à la suite de pluies abondantes, mais de courtes durées, déversées par des orages.

Pour éviter les inondations, des sommes importantes doivent être investies dans des ouvrages destinés à contrôler les niveaux des cours d'eau. L'identification des zones inondables freine le développement des endroits sensibles aux inondations.

4.9

4.10

4.11 TORNADE

La tornade est assurément le phénomène météorologique le plus violent, le plus destructeur et aussi le plus sournois. Une tornade est une colonne d'air en rotation violente qui origine de la base d'un cumulonimbus et est habituellement visible sous la forme d'un nuage en entonnoir. Lorsqu'une tornade touche la mer, on l'appelle une trombe marine.

Les États-Unis sont un des pays les plus touchés par les tornades; chaque année on en observe 740 en moyenne. Dans le sud-ouest de l'Ontario, on en compte en moyenne une ou deux par année sur chaque 10 000 km^2 de territoire. Au Québec, on a déjà observé des tornades, comme par exemple à Masson, à St-Rémi de Napierville, à St-Bonaventure.

La tornade a un diamètre d'une centaine de mètres mais il peut varier entre 50 m et un kilomètre. À l'intérieur de la tornade, le vent atteint une vitesse phénoménale. Dans le cas le plus violent, le vent pourrait être supérieur à 400 km/h. La tornade s'accompagne de grêle et d'une forte pluie dont la hauteur peut facilement atteindre 70 mm.

La science moderne dispose d'outils perfectionnés pour détecter et prévoir la tornade. Le satellite et le radar sont utilisés quotidiennement pour aider le météorologiste à prévoir l'endroit et le moment où elle frappera.

4.12 CHABLIS

Lors des ouragans et des tornades, le vent cause habituellement des dommages importants aux constructions, aux arbres, etc. En forêt, les tornades laissent des traces visibles de leur passage en déracinant ou en brisant les arbres.

Dans les dépressions intenses ou les orages violents, le vent peut aussi parfois causer des dommages (ou des inconvénients) même si sa vitesse est de beaucoup inférieure à celle mesurée dans les ouragans et les tornades. Dans ce cas, les arbres malades (ou jeunes), les branches, les bâtiments légers, les enseignes, etc., sont susceptibles de subir des dommages. L'électricité ou le téléphone peuvent aussi être interrompus. Les dommages causés par une tempête sont amplifiés lorsqu'en plus du vent, celle-ci s'accompagne de précipitations verglaçantes ou d'une forte chute de neige.

4.11

4.12

4.13 OURAGAN

Les ouragans sont des phénomènes météorologiques redoutables que l'on retrouve principalement dans les régions tropicales et subtropicales. Leur pouvoir de destruction est considérable et les endroits où ils frappent subissent habituellement des dommages très élevés.

Les ouragans ont une forme quasi circulaire dont le diamètre varie entre 500 km et 1 000 km. On appelle «œil» la région centrale de l'ouragan. Le diamètre moyen de l'œil est d'environ 30 km mais il peut varier entre 10 km et 100 km.

Autour de l'ouragan, le vent atteint une vitesse considérable qui pourrait atteindre 300 km/h. Paradoxalement, dans l'œil, le vent ne souffle qu'à environ 30 km/h.

Dans l'ouragan, la pression atmosphérique est très basse. En moyenne, dans l'ouragan elle est inférieure de 5 kPa à celle tout autour; cette chute pourrait même atteindre 10 kPa. La pression la plus basse jamais mesurée dans un ouragan est de 87,0 kPa; elle a été observée dans l'ouragan Tip, sur le Pacifique, en 1979.

Autour de l'ouragan, la précipitation s'organise en bandes, sous forme de spirales, plus nombreuses sur le côté avant droit. Une chute de pluie de 80 mm à 150 mm est chose commune pour l'ouragan.

La figure 4.13 montre une photo satellite de l'ouragan ALLEN qui a frappé le Texas en août 1983.

4.14 GIVRE

En automne lorsque l'air est humide et que la température s'abaisse sous le point de congélation, il peut se former du givre sur les objets au sol ou près du sol (comme sur le pare-brise d'une auto par exemple). Ce givre est formé par le dépôt direct (ou la sublimation) de la vapeur d'eau en glace. Ce phénomène est habituellement associé à une zone de haute pression alors que le vent est calme et le ciel dégagé et il est analogue à la déposition de rosée. Après le lever du jour, le rayonnement solaire est suffisant pour faire fondre le givre. Une partie de la feuille de chêne (figure 4.14) laisse voir des cristaux de glace qui ne sont pas encore fondus sous l'action du soleil tandis que sur l'autre partie, les cristaux se sont transformés en fines gouttelettes.

4.13

4.14

4.15 BROUILLARD DANS UNE VALLÉE

La nuit, lorsque le ciel est dégagé et que le vent est calme, l'air le long des pentes d'une vallée se refroidit et s'écoule, par gravité, vers le fond de la vallée. Si le refroidissement de l'air est suffisant, l'humidité relative augmente et il se formera peut-être du brouillard.

L'accumulation d'air froid dans le fond de la vallée entraîne la création d'une inversion de température. Le brouillard est alors persistant et bien confiné à la vallée. Dans les vallées où on retrouve un cours d'eau, le brouillard est d'autant plus probable.

4.16 TROIS PHASES DE L'EAU

Dans la nature l'eau se retrouve sous trois phases qui peuvent coexister simultanément: solide, liquide, gazeuse. Ce qui est important, c'est surtout la relative facilité avec laquelle l'eau peut passer d'une phase à une autre.

La condensation de la vapeur d'eau entraîne la formation des nuages et de la précipitation alors que l'évaporation est à la base du cycle de l'eau. Ces deux changements de phase sont donc d'une très grande importance.

On estime que le volume total d'eau sous toutes ses formes est d'environ 1 335 millions de km^3 et qu'un peu plus de 97% de cette quantité se retrouve dans les océans. Le volume sous forme de glace représente 2,15% du total, c'est-à-dire environ 29 millions de km^3. La plus grande partie de cette glace est située en Antarctique. Le reste du total, c'est-à-dire un peu moins de 1 %, se retrouve dans l'atmosphère (sous forme de vapeur), dans les rivières et les lacs et dans le sol. L'eau atmosphérique ne représente qu'un minime pourcentage de toute l'eau sur la planète: on l'estime à un centième de un pour cent.

4.15

4.16

4.17 ÉOLIENNE

Depuis très longtemps, l'homme a mis à profit le vent pour produire de l'énergie grâce à une éolienne.

Le problème majeur relié à l'utilisation d'une éolienne réside dans la fiabilité de l'approvisionnement, problème relié aux fluctuations journalières et saisonnières de la vitesse du vent. Préalablement à l'installation d'une éolienne moderne, de très sérieuses études sont entreprises afin de déterminer le comportement statistique du vent et ainsi de permettre le dimensionnement de la machine et le calcul de son degré de rentabilité. Les éoliennes mises au point de nos jours profitent d'une technologie très avancée qui permet d'augmenter leur rendement.

Outre pour la production d'électricité, les éoliennes peuvent aussi être utilisées pour pomper de l'eau.

4.18 MAISON SOLAIRE

L'énergie solaire est une autre forme d'énergie reliée au climat.

Le rayonnement solaire est capté par des collecteurs solaires dans lesquels circule soit de l'air, soit un liquide caloporteur. La chaleur peut être utilisée immédiatement ou emmagasinée dans un réservoir de chaleur pour un usage ultérieur (lors d'une journée nuageuse ou la nuit).

Les collecteurs solaires peuvent chauffer une maison, chauffer de l'eau pour usage domestique ou chauffer une piscine. L'énergie solaire est plus profitable dans les climats jouissant d'un bon ensoleillement et de températures relativement douces.

4.17

4.18

4.19 SERRE

Les serres domestiques ont une valeur esthétique indéniable. Elles peuvent cependant être plus qu'un élément décoratif. En plus d'allonger significativement la saison chaude, elles peuvent, dans des conditions propices précises, contribuer au chauffage d'une résidence.

La serre est utilisée abondamment pour la production de légumes, de plantes ornementales et de plants destinés au reboisement. À l'intérieur d'une serre, l'atmosphère peut être contrôlée de sorte que l'on peut reproduire le genre de climat désiré. Les serres tropicales ou désertiques des jardins botaniques en sont un exemple. Au Québec, des expériences ont montré que la culture des tomates en serre est possible même à la Baie James.

4.20 POLLUTION DE L'AIR

Les conditions météorologiques ont une incidence directe sur le niveau de pollution de l'air. La dispersion des polluants est fonction de l'état de stabilité de l'air et leur concentration est directement dépendante de la vitesse du vent et du taux d'émission de sources polluantes.

Les milieux urbains ou fortement industrialisés sont des endroits propices à une dégradation de la qualité de l'air ambiant étant donné la grande variété et la densité des sources mises en présence.

Les problèmes reliés à la pollution urbaine ne sont pas nouveaux. Déjà en l'an 400 av. J.-C., Hippocrate associait ville et pollution de l'air. La ville de Londres (Angleterre) a connu dans son histoire plusieurs épisodes de pollution causant de nombreux décès. Le plus connu est celui survenu entre le 5 et le 9 décembre 1952 alors que l'on attribue à la pollution atmosphérique le décès de plus de 4 000 personnes.

Au Québec, la Direction de l'assainissement de l'air (ministère de l'Environnement du Québec) opère un réseau de surveillance de la qualité de l'air dans toutes les agglomérations urbaines importantes.

4.19

4.20

Chapitre 5

Phénomènes et instruments divers

Pour compléter ce tour d'horizon de la météorologie et de la climatologie, ce chapitre présente quelques instruments et phénomènes particuliers susceptibles d'intéresser le lecteur.

5.1 BAROMÈTRE MURAL

La mesure de la pression peut être faite à la maison à l'aide d'un baromètre anéroïde. Il en existe de nombreuses variétés de toutes qualités sur le marché. On suggère d'accrocher son appareil sur un mur de la maison qui ne donne pas à l'extérieur et dans un endroit où l'on passe assez fréquemment pour y jeter un coup d'œil à l'occasion.

Il est préférable de se procurer un baromètre gradué en kilopascals ou en millibars. Pour le calibrer, on obtient d'abord du bureau météorologique le plus près la pression au niveau moyen de la mer sur sa région. Ensuite, avec la vis à l'arrière de l'appareil, on amène l'aiguille indicatrice à la valeur obtenue au bureau météorologique. On devra recalibrer régulièrement son baromètre. La plupart des baromètres anéroïdes sont aussi pourvus d'une deuxième aiguille que l'on déplace à l'aide d'un bouton à l'avant; celle-ci, en servant de mémoire entre deux lectures, permet d'évaluer les variations de la pression atmosphérique durant un intervalle de temps. Ce sont ces variations qui renseignent sur l'évolution probable des conditions météorologiques et non pas la valeur de la pression. En pratique, on constatera qu'une diminution brusque de la pression précède du mauvais temps alors qu'une hausse est suivie de beau temps.

5.2 MANCHE À AIR

La manche à air est un tube en toile qui donne la direction du vent et une valeur approximative de sa vitesse par l'inclinaison du manche. Il est installé dans les aéroports (ou héliports) et sert au pilote au moment du décollage ou de l'atterrissage.

5.1

5.2

5.3 GIROUETTE

La girouette en forme de coq juché sur un clocher fait partie du paysage rural. Cette tradition serait due à l'évêque Rampert qui en 820 en installa une sur le clocher d'une église de Brixen au Tyrol. Le coq symbolisait alors la vigilance de l'Église envers ses fidèles.

La forme avec empannage de la girouette aurait été inventée en 1578 par un astronome nommé Ignazio Danti.

Le lecteur qui observera attentivement son environnement découvrira de nombreuses girouettes aux formes originales dont certaines utilisent même la force du vent pour mettre en branle des mécanismes décoratifs.

5.4 CAPTEUR DE POLLEN

Cet appareil, qui s'oriente face au vent, sert à capter les pollens en suspension dans l'air. Il est muni de deux filtres qui sont analysés en laboratoire. Un des filtres est remplacé toutes les semaines, l'autre tous les mois. Seules quelques stations météorologiques participent à ce programme spécial d'observation. Ces données servent à l'étude des allergies.

Beaucoup de recherches restent à faire en bioclimatologie, cette science qui étudie les relations entre le monde vivant et le climat. Nous avons tous constaté que nous réagissons physiquement et psychologiquement aux conditions météorologiques. De fait, le corps humain réagit aux effets combinés des différentes variables météorologiques. Par exemple, la respiration est facilitée en air humide et nous résistons plus difficilement au froid par grand vent; de même, les systèmes circulatoires et nerveux sont affectés par les fluctuations de la pression atmosphérique. Ajoutons aussi que certaines maladies graves ne se retrouvent que sous certains climats (malaria, grippe, etc.).

5.3

5.4

5.5 MONTGOLFIÈRE

Le vol en ballon, aujourd'hui considéré comme un sport fascinant, a servi, dès ses débuts, à étudier l'atmosphère en altitude. C'est en septembre 1783 que les frères Joseph et Étienne Montgolfier effectuèrent leur premier vol. Dès décembre de la même année, le physicien J.-A. Charles effectua à son tour un vol afin de mesurer la température de l'air en altitude. Malgré le fait que plusieurs savants utilisèrent la montgolfière pour étudier l'atmosphère en altitude, les données n'étaient pas suffisamment précises et prises de façon trop aléatoire pour se prêter à une étude globale. Cela favorisa l'installation de stations en haute montagne et l'emploi de cerfs-volants dotés d'instrumentation et dont les premières mesures systématiques datent de 1894. À la même époque, on mettait aussi au point des ballons porteurs d'instruments-enregistreurs qui étaient récupérés après leur vol.

De nos jours, c'est la radiosonde qui est utilisée pour mesurer la température et l'humidité en altitude. Cet appareil a été perfectionné à partir de 1930.

5.6 EFFET DU VENT SUR LA CROISSANCE D'UN ARBRE

La croissance et la silhouette d'un arbre isolé peuvent être grandement influencées par le vent. Cela est particulièrement apparent chez les conifères qui en subissent l'influence durant toute l'année. À partir d'études sur le terrain, on a été en mesure d'établir une relation entre la forme d'un conifère exposé et la vitesse moyenne du vent à cet endroit. À mesure que la vitesse augmente, l'arbre devient asymétrique, sa face exposée au vent dominant devenant moins développée.

5.5

5.6

5.7 BROUILLARD D'ADVECTION

Le brouillard d'advection est bien connu de tous les navigateurs. Sur l'océan, il peut persister durant de nombreux jours, même avec des vents modérés ou forts. Il peut donc nuire considérablement à la navigation dans les secteurs où il est présent.

Le brouillard d'advection se forme lorsqu'une masse d'air chaud et humide se déplace au-dessus d'une surface d'eau froide. Il peut se produire autant le jour que la nuit.

On retrouve le brouillard d'advection là où s'écoulent des courants d'eau froide comme c'est le cas au large de Terre-Neuve. Sur le Saint-Laurent, il est fréquent à l'est de Tadoussac puisque la température de l'eau y demeure relativement froide durant l'été.

La figure 5.7 montre du stratus formé par le soulèvement du brouillard d'advection près de Tadoussac.

5.8 MAMMATUS

Dans la classification internationale des nuages, le mammatus est considéré comme une particularité et ne fait pas partie des dix genres illustrés précédemment.

Le mammatus est un nuage peu fréquent qui offre un spectacle inoubliable surtout lorsqu'il est éclairé par le soleil couchant. Le mammatus se forme habituellement sous l'enclume d'un vigoureux cumulonimbus, à une altitude d'environ 5 ou 6 km. Ce nuage est le siège de forts courants descendants et ascendants. La présence de ce nuage est le signe d'une grande instabilité atmosphérique. Il en résulte habituellement de forts coups de vent, ce qui représente un certain danger pour le pilote et le navigateur.

5.7

5.8

5.9 AVERSE

Lorsque l'horizon est suffisamment dégagé, les averses sont souvent visibles de loin sous forme d'un rideau grisâtre. Les averses sont associées à des nuages cumulus formés en air instable. Elles peuvent parfois donner lieu à un arc-en-ciel. Dans certains cas, il peut arriver que la pluie s'évapore avant de toucher le sol. Cette précipitation s'appelle alors virga.

5.10 TIMBRE MÉTÉOROLOGIQUE

Le timbre émis par Postes Canada, le 13 mars 1968, montre bien l'importance qu'on accorde à la météorologie. Ce timbre a été émis à la mémoire de William Wales et Joseph Dymond qui effectuèrent des observations régulières à partir d'un point fixe au Canada en 1768, au fort Prince of Wales à Churchill (Manitoba). Le dessin du timbre représente une carte et divers instruments de météorologie.

Des observations ont aussi été faites à Québec de 1742 à 1756 par le Dr J.F. Gauthier. Plus tard, vers 1845, le médecin Charles Smallwood construisit un observatoire météorologique à St-Martin (Ville de Laval). En 1862, cet observatoire fut réinstallé à l'université McGill où on fait encore des observations. C'est en 1840 que le premier observatoire officiel du Canada fut installé à Toronto. Le Service météorologique canadien fut créé le 1er mai 1871.

Reproduit avec l'autorisation de Postes Canada.

5.9

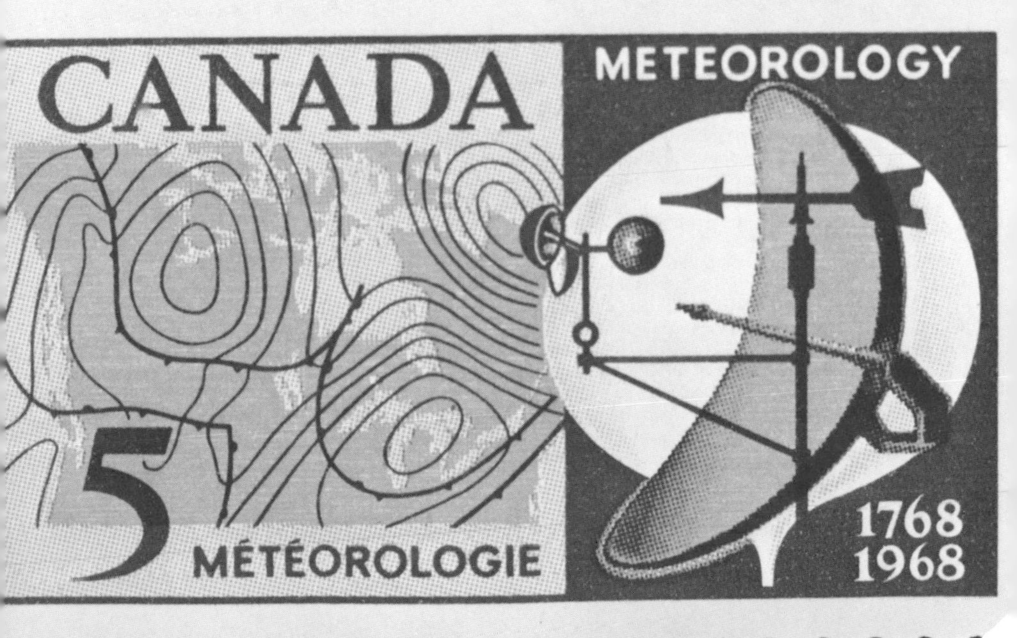

5.10

Lexique

— A —

anémomètre: appareil mesurant la vitesse du vent

anéroïde: ne contenant aucun liquide, comme le baromètre anéroïde

anticyclone (ou haute pression): région de l'atmosphère où la pression est la plus élevée par rapport à son entourage

averse: précipitation (pluie ou neige) de courte durée caractérisée par un début et une fin soudains et par une intensité variable

— B —

bac d'évaporation: appareil mesurant l'évaporation

barographe: baromètre qui enregistre la pression atmosphérique

baromètre: appareil mesurant la pression atmosphérique

brouillard: suspension dans l'atmosphère de très petites gouttelettes d'eau réduisant la visibilité

bruine: fines gouttelettes de diamètre inférieur à 0,5 mm, qui semblent flotter dans l'air. Elle est produite par des couches denses de stratus dont la base touche parfois le sol

bruine verglaçante: bruine se congelant en touchant le sol ou les objets près du sol

— C —

chablis: arbres brisés ou déracinés par le vent

climat: état habituel du temps à un moment et à un lieu donné

condensation: passage de la phase vapeur à la phase liquide (inverse de l'évaporation)

congélation: passage de la phase liquide à la phase solide (inverse de la fusion)

— D —

densité de la neige: rapport entre l'équivalent d'eau et la hauteur de la neige

dépression (ou basse pression): région de l'atmosphère où la pression est la plus basse par rapport à son entourage

— E —

eau surfondue: eau qui est liquide à une température inférieure au point de congélation

échelle à neige: piquet gradué planté dans le sol avec lequel on mesure l'épaisseur du manteau nival

éclair: décharge d'électricité statique qui se produit entre deux nuages, entre le nuage et le sol (foudre) et parfois entre le nuage et l'air avoisinant

équivalent d'eau: hauteur d'eau recueillie à la suite de la fonte d'une hauteur de neige

évaporation: passage de la phase liquide à la phase vapeur (inverse de la condensation)

évapotranspiration: processus par lequel l'eau est évaporée dans l'atmosphère; elle provient à la fois de l'évaporation des plans d'eau (solide et liquide) et de la transpiration des plantes

— F —

front: ligne de transition entre deux masses d'air
front chaud: partie arrière de l'air froid qui recule
front froid: portion la plus avancée d'une masse d'air froid en mouvement
fusion: passage de la phase solide à la phase liquide (inverse de la congélation)

— G —

gelée blanche: dépôt de cristaux de glace entremêlés, formés par sublimation directe sur des objets exposés à l'air libre par suite d'un refroidissement sous le point de congélation
géohygromètre: dispositif pour mesurer l'humidité du sol
géothermomètre: thermomètre pour mesurer la température du sol
girouette: appareil indiquant la direction du vent
givre blanc: dépôt de glace granuleux, blanc ou laiteux, opaque, formé par le gel rapide de gouttes d'eau surfondues au contact d'un objet
granule de glace: petit grain de glace, transparent, de forme sphérique ou irrégulière, de diamètre inférieur à 5 mm. Il y a deux variétés: a) formé de gouttes de pluie congelées ou de flocons de neige fondus qui se recongèlent habituellement près du sol, tombant de manière continue; b) neige roulée enrobée de glace provenant de gouttelettes interceptées par la neige roulée ou par l'eau provenant de la fonte partielle de la neige roulée, tombant habituellement en averse
grêle: globules ou morceaux de glace transparente dont le diamètre varie entre 5 mm et 50 mm (parfois plus) et qui tombent séparément ou agglomérés. Elle est souvent accompagnée d'orages violents
grésil: voir granule de glace

— H —

héliographe: appareil mesurant l'ensoleillement
heure TU: heure au méridien de Greenwich, Angleterre
humidité relative: rapport entre la tension de vapeur actuelle et la tension de vapeur à saturation, exprimé en pourcentage
hygromètre: appareil mesurant l'humidité

— I —

inversion de température: augmentation de la température avec l'altitude

— K —

kilopascal: multiple de l'unité de mesure de la pression dans le Système International d'unités (SI)

— M —

manteau nival: neige au sol
masse d'air: portion relativement grande de l'atmosphère où la température et l'humidité sont relativement uniformes (dans l'horizontal)
millibar: unité de mesure de la pression atmosphérique couramment employée en météorologie (1 kPa = 10 mb)

— N —

neige: cristaux de glace hexagonaux dont la plupart sont ramifiés. À des températures supérieures à −5 °C, les cristaux s'agglutinent et forment des flocons
nivomètre: appareil mesurant la hauteur de neige tombée
nœud: unité de mesure de la vitesse du vent couramment employée en météorologie ainsi que dans l'aviation et la marine (1 nœud = 1,852 km/h)

— O —

orage: tempête localisée ponctuée d'éclairs et de tonnerre
ouragan: tempête tropicale dans laquelle le vent atteint au moins 115 km/h

— P —

phénologie: science qui s'intéresse à l'étude de la chronologie des stades de la vie animale et végétale en relation avec le climat
pluie: gouttelettes de diamètre supérieur à 0,5 mm. On appelle aussi pluie des gouttelettes plus petites, mais à condition qu'elles soient très dispersées.
pluie acide: pluie dont le pH est inférieur à 5,6
pluie verglaçante: pluie se congelant en touchant le sol ou les objets près du sol
pluviographe: appareil mesurant le taux de chute de la pluie
pluviomètre: appareil mesurant la hauteur d'eau tombée sous forme de pluie
pression atmosphérique: poids exercé par une colonne d'air de section unitaire à la surface de la terre
prévision numérique: prévision effectuée grâce à la solution par un ordinateur d'un ensemble d'équations décrivant les mouvements de l'atmosphère

psychromètre: dispositif pour mesurer la température du thermomètre sec et du thermomètre mouillé

— R —

radiosonde: appareil qui permet d'obtenir le profil vertical de la température et de l'humidité

rayonnement infrarouge: énergie propagée sous forme de rayonnement non visible dont la longueur d'onde est supérieure à 0,8 micromètre et inférieure à 1 millimètre

rayonnement solaire: énergie émise par le soleil sous forme de rayonnement visible et invisible

réflexion: changement de la direction de propagation de la lumière lorsqu'elle arrive sur une surface réfléchissante

réfraction: changement de la direction de propagation de la lumière lorsqu'elle passe d'un milieu à un autre

rosée: condensation d'eau sur l'herbe ou sur d'autres objets près du sol

— S —

stabilité de l'air: faculté qu'a l'air à un moment donné de favoriser (air instable) ou de défavoriser (air stable) les mouvements atmosphériques verticaux

sublimation: passage de la phase gazeuse à la phase solide, et inversement, mais sans passer par la phase liquide

— T —

télémètre de plafond: appareil qui mesure la hauteur de la base des nuages

température du point de rosée: température à laquelle l'air doit être refroidi pour qu'il y ait saturation

température du thermomètre mouillé: température la plus basse à laquelle l'air peut être refroidi par évaporation d'eau, à pression constante

tonnerre: onde sonore qui accompagne l'éclair

tornade: colonne d'air en rotation violente habituellement visible sous la forme d'un nuage en entonnoir

— V —

verglas: couche de glace transparente, lisse, formée sur des objets exposés, par suite de la congélation d'une pellicule d'eau laissée par de la pluie, de la bruine ou du brouillard

virga: précipitation n'atteignant pas le sol

visibilité: distance à laquelle un objet de dimension convenable peut être vu et identifié

Bibliographie

BESSEMOULIN, J., R. CLAUSSE, *Vents, nuages et tempêtes,* Éditions Maritimes et d'Outre-Mer, 1978, 254 p.

KEIDEL, C.G., *Les nuages et la prévision du temps,* Fernand Nathan éditeur, 1981, 128 p.

LEDUC, Richard, Raymond GERVAIS, *Connaître la météorologie,* Presses de l'Université du Québec, 1985, 300 p.

ROTH, G.D., A. GILLOT-PÉTRÉ, *Guide de la météorologie,* Delachaux et Niestlé, 1984, 250 p.

Achevé d'imprimer à Montmagny par les travailleurs des ateliers Marquis Ltée en septembre 1986